À SOMBRA DA CIDADE

À SOMBRA DA CIDADE

LOURDES GUTIERRES

Copyright © 2021 de Lourdes Gutierres
Todos os direitos desta edição reservados à Editora Labrador.

Coordenação editorial
Pamela Oliveira

Assistência editorial
Larissa Robbi Ribeiro

Projeto gráfico, diagramação e capa
Amanda Chagas

Preparação de texto
Gabriela Rocha Ribeiro

Revisão
Iracy Borges

Imagem de capa
Freepik

Imagens de miolo
Dehila Campelo
Freepik (p.119)

Esta obra foi composta em Minion Pro 12 pt e impressa em papel Pólen soft 80 g/m² pela Edições Loyola.

Dados Internacionais de Catalogação na Publicação (CIP)
Jéssica de Oliveira Molinari - CRB-8/9852

Gutierres, Lourdes
　À sombra da cidade / Lourdes Gutierres. —— São Paulo : Labrador, 2021.
　128 p.

ISBN 978-65-5625-171-4

1. Crônicas brasileiras 2. São Paulo (Cidade) - Crônicas I. Título

21-3360　　　　　　　　　　　　　　　　　　　CDD B869.8

Índice para catálogo sistemático:
1. Crônicas brasileiras

Editora Labrador
Diretor editorial: Daniel Pinsky
rua Dr. José Elias, 520 — Alto da Lapa
05083-030 — São Paulo — SP
+55 (11) 3641-7446
contato@editoralabrador.com.br
www.editoralabrador.com.br
facebook.com/editoralabrador
instagram.com/editoralabrador

A reprodução de qualquer parte desta obra é ilegal e configura uma apropriação indevida dos direitos intelectuais e patrimoniais da autora.
A editora não é responsável pelo conteúdo deste livro. A autora conhece os fatos narrados, pelos quais é responsável, assim como se responsabiliza pelos juízos emitidos.

Para minha mãe.

SUMÁRIO

PREFÁCIO	9
TEBAS	11
A CAPELA	15
A CHAMINÉ	19
A GREVE	26
A DEMOLIÇÃO	32
A SALA	38
A ANTESSALA	43
BRECHERET	47
A RODA	52
A MISSÃO	59
A TELA	64
FOLHAS, FLORES E DORES	69
A CHAMA	75
ONDE ERA MESMO QUE EU ESTAVA?	80
A GIRA	84
O ESTRANGEIRO	91
O CORTEJO	96
O TRIÂNGULO CENTRAL	103
CONSOLAÇÃO	110
O QUE NÃO DISSE	116
A VALA	120
AGRADECIMENTOS	127
SOBRE A AUTORA	128

PREFÁCIO

De mansinho, Lourdes Gutierres vai percorrendo as ruas de São Paulo, para deter-se aqui e acolá a nos mostrar espaços emblemáticos — monumentos, igrejas, museus, edifícios públicos, bairros construídos por imigrantes. Tudo parece conhecido, familiar... Até que a percepção despe as vestes do hábito e começa a revelação de camadas profundas, ocultas no segredo de histórias não "oficiais", manipuladas na forja do poder, da dominação e da ganância.

As vinte e uma crônicas que compõem este livro resultam de cuidadosa pesquisa e uma capacidade singular de observação, o que permite viajar por uma escrita fluida, clara e direta que ilumina o que a autora chama "enterramento da nossa memória histórica". Em "A capela", por exemplo, ela destaca as ossadas encontradas em um terreno da rua Galvão Bueno que, dois séculos atrás, sediava um cemitério destinado a negros, indígenas, enforcados e indigentes. Não há sinais de sepultamento, identificação dos corpos nem vestígios de ritos funerários — apenas restos anônimos em total abandono.

A Sala São Paulo, sede da Orquestra Sinfônica do Estado de São Paulo e do Coro da Osesp — tema de outra de suas crônicas —, é um orgulho para os paulistanos e ponto de encontro de jovens artistas que têm a oportunidade de enriquecer seus repertórios com as visitas periódicas de grandes regentes e solistas internacionais. Todavia, bem ali, às margens da estação Júlio Prestes, Lourdes Gutierres "descobre" a cracolândia. Perplexidade e contradições tropeçam em um frenético ir e vir de sentimentos e palavras que buscam compreender essa proximidade que não pode ignorar o sofrimento diuturno das pessoas que lá moram ao relento, sem lar, sem redes de assistência que legitimem sua existência, na dependência daquilo que as consome e atormenta — e isso há décadas…

O objetivo da autora não é a denúncia, tampouco empreender um trabalho de revisionismo histórico. O propósito é sensibilizar a fim de transformar, um convite para sair da repetição de um passado brutal que envergonha, de uma violência estrutural infiltrada nas instituições e, igualmente, nos relacionamentos. Há um despertar incipiente que sinaliza novos horizontes, e é nessa direção que estas crônicas oferecem reflexão e inspiração. Elas chegam em boa hora, eis a razão pela qual celebramos a publicação deste livro, cuja missiva é "liberte-se"!

Lia Diskin

TEBAS

A foto da antiga catedral salta do livro, em estilo colonial, e se espraia na praça da Sé. Foi demolida. Deu lugar a outra construção, neogótica, majestosa. Próximo dali, na rua Direita, outra imagem, do chafariz da Misericórdia. Foi removido. Acabou indo parar em um depósito de inutilidades. Nesse campo de escombros e ocultamento, estabeleço meu caminhar pela área central da cidade. Sigo rastros deixados por escavadores de memória perspicazes, que não se deixam abater por abismos e obstáculos; em qualquer espaço obscuro buscam pistas: papel tingido, foto desbotada, fragmentos escritos. Do que encontram em baú perdido no tempo, traçam elos e conexões. O brilho que emerge dessa escavação me permite vislumbrar o relato que segue.

...e, há tempo eu observava a igreja sem torre coisa difícil de acreditar mas o padre explicou que não tinha quem soubesse fazer tal arranjo e ele custou a crer em mim fazendo averiguações por fim tudo se acertou é que eu era novo por aqui vim trazido pelo meu senhor de nome Bento que era mestre-pedreiro habilidoso que com ele aprendi tudo de construção me chamava de Tebas e assim fiquei conhecido sei lidar com terra socada e levanto morada de taipa bem rápido dou jeito em tudo quanto é coisa de obra mas o que gosto é de aparelhar e de talhar blocos de rocha bruta fazendo utilidades e ornamentos – pináculos, coruchéus e arremates de portadas pois tão logo chegamos de Santos comecei a dar duro sem folga por aqui tudo carecia reparo e as pedras eram novidade mas de muito uso lá na nossa terra e não é que o menino tem jeito para moldar barro e ajeitar pedra isso meu senhor percebeu desde cedo e tratou de se aproveitar então me ensinou tudo que sabia e ganhou muito dinheiro com meu suor mas eu também tinha meu ganho fui escravo dele até sua

morte ocorrida quando estava no reparo da Catedral continuei a obra aprontei a torre que ficou lá com relógio e tudo de acordo mas com tanta gente morando por aqui e a dificuldade com água tinha de se dar jeito nisso foi quando me chamaram para construir o primeiro chafariz público da cidade com a água trazida do ribeirão Anhangabaú quando se fez pronto dava gosto de se ver o tanto de gente que se juntava por lá para pegar água contar novidades às vezes coisa triste morte e velório também se sabia de castigos que os escravos sofriam muita judiação e tristeza e tinha a quituteira Zeferina eu ia lá só para derreter a saudade das coisas de nossa gente tudo que ela trazia era gostoso de se provar desculpe sou de poucas falas e ando um tanto esquecido mas nessa parte da cidade não teve o que não fiz de consertos e obras por aqui o dinheiro não era farto mas trabalho sempre aparecia nas ordens religiosas dos beneditinos franciscanos carmelitas assim fiz as fachadas da Igreja da Ordem Terceira do Carmo e da Igreja das Chagas do Seráfico Pai São Francisco e para o antigo Mosteiro de São Bento talhei a pedra fundamental da fachada e fiz trabalhos de cantaria lavrada e quando veio nova construção fui chamado para executar a entrada da portaria então deixei lá um ornato do frontão que deu trabalho mas restou tudo combinado com o moderno e aconteceu de me levarem para lonjuras viagem difícil mas não tinha quem fizesse a obra então finquei lá na cidade de Itu o Cruzeiro de Pedra de nove metros de altura que até de longe é bonito de se ver porque assim gosto de deixar as coisas que essas mãos tocam.

    Enfim, o escravo construtor da cidade do século XVIII, Joaquim Pinto de Oliveira, o Tebas, foi reconhecido oficialmente como arquiteto pelo Sindicato dos Arquitetos no Estado de São Paulo, em 2018, numa data simbólica, 21 de março, em que se comemora o Dia Internacional Contra a Discriminação Racial. No templo da verdade histórica, edificou-se novo patamar, e dele ecoa a voz que sai do isolamento:

— Desculpe, sou de poucas falas.

A CAPELA

Vejam isto! Não é que apareceram nove ossadas no coração da cidade? O fato aconteceu em um terreno da rua Galvão Bueno. Com a demolição de um prédio pelos proprietários para dar lugar a uma construção mais moderna, arqueólogos acabaram encontrando os esqueletos. A notícia provocou inquietação nos comerciantes e moradores locais, sentiam-se desconfortáveis. Estariam em cima de cadáveres?

A descoberta das ossadas revela mais um caso de enterramento da nossa memória histórica. Naquela área havia um cemitério destinado à população excluída: negros, indígenas, enforcados, indigentes. Adornando um desses mortos estava um colar com contas de vidro, que indicaria o pertencimento a alguma religião de matriz africana, segundo a arqueóloga que trabalhava nas escavações. Colar, contas — de quem? Escravas serviam na capital aos grandes proprietários de terra; fosse uma delas a dona do colar, poderia ter sido ama de leite, ter criado os filhos de sinhá. Se fugitiva, talvez tenha sido enforcada, ali perto, no largo da Forca. Dela, apenas seu adorno, identificação nenhuma.

A vista aérea do local mostra o resultado do que se considera modernização: encorpadas estruturas verticais.

Entre as edificações, desponta uma torre com sino. É a capela Nossa Senhora dos Aflitos, no fundo do beco da rua dos Estudantes. Estreita, opaca, espremida – resiste à desconstrução da história. A aparência de abandono não condiz com a realidade; é frequentada por inúmeras pessoas, de diversas crenças e religiões. Qual a busca? Há apenas uma certeza: ali habita o mistério.

Onde está o real? Essa foi a dúvida que surgiu quando visitei a capela. Lembrei-me dos ensinamentos da filosofia atomista da Grécia Antiga: o real é o que permanece quando ninguém está lá. A mulher de azul rezando, o senhor de cabelos grisalhos em frente ao altar, a criança que corria entre os bancos, eu e minha inquietude. O que somos na realidade? Não posso responder pelos outros; quanto a mim, sinto ter muito a aprender.

Quando todos saírem da capela, as luzes forem apagadas, o portão trancado, que real permanecerá? Do lado esquerdo de quem entra, há um aposento sempre fechado. Pelas frestas da porta de madeira antiga, estão pendurados papéis com pedidos ou agradecimentos deixados pelos frequentadores. Acreditam que por trás dessa porta encontra-se Chaguinhas, o militar condenado à forca em 1821. Permanecera preso nesta sala antes de ser conduzido para a morte sob tortura. Seus restos mortais estariam aqui.

— Faz milagres? — pergunto.

— Com certeza — responde a senhora que toma conta do local.

— É santo?

— Para o povo, sim — afirma ela.

Forca. Tortura. É difícil acreditar que tais coisas acontecessem há tão pouco tempo. Nesse caso, qual a motivação dos algozes? Mostrar serviço à Coroa? Receber recompensas? Amedrontar o povo? Quanto ao cabo do Primeiro Batalhão de Santos, Francisco José das Chagas, o Chaguinhas, era jovem, tinha pela frente uma série de possibilidades; poderia ter constituído família, criado filhos; como militar, quem sabe fizesse carreira, ganharia novas patentes, medalhas de herói. Condenado por conduzir um movimento reivindicatório por soldos, pode-se imaginar que tivesse firmeza de propósito e liderança para aglutinar pessoas e se fazer respeitar. Quem sabe não tivesse atuação importante no processo da Independência que ocorreu no ano seguinte? Se viver é fazer escolhas, ante tantas possibilidades, a escolha dele, certamente, não teria sido morrer jovem, submetido a tortura.

Hoje, no altar dos aflitos, é considerado milagreiro. Quantas lágrimas deixaram de ser derramadas com sua ajuda? Quantas cirurgias canceladas? Quantos lares reorganizados? Testemunhos são diversos e os devotos aumentam a cada dia.

— Não quer fazer um pedido a ele? — perguntou-me a zeladora. Ensinou como era o procedimento, bem simples. — Com certeza, será atendido e voltará aqui para agradecer — concluiu sorrindo.

Naquele momento, havia apenas uma mulher de turbante, orando em frente à imagem de Santo Antônio de Categeró, protetor dos pobres. A serenidade do ambiente convidava à introspecção. Sentei-me, com os olhos fechados, procurava refletir a respeito das fendas do deserto humano. Escolhi uma questão secular, por considerar ser hora de dar um basta.

— É isto! É disto que estamos precisando! — afirmei a mim mesma.

Fui até a porta indicada, dei três batidas, sussurrando:
— Chaguinhas, Chaguinhas, Chaguinhas — enquanto procurava uma pequena brecha para colocar o bilhete com meu pedido.

Na saída, a senhora me convidou para comparecer ao terço para o santo popular, que acontece toda primeira sexta-feira do mês.

— Sexta, amanhã? Eu venho.

A CHAMINÉ

Saímos ao encontro de espaços recolhidos do olhar raso. Chegamos ao quartel da Rota, no bairro da Luz, fortaleza de vasta área, projetada por Ramos de Azevedo, que trazia para a cidade modelos de construções europeias do século XIX. A edificação em quadrado perfeito teve como inspiração o prédio da Legião Estrangeira Francesa, localizada no Marrocos, inclusive o colorido de suas paredes, em amarelo-mostarda, usado para confundir-se com a paisagem desértica. Em todo o seu perímetro, foi construído um túnel subterrâneo que comunicava quartéis, penitenciária, estação de trem. Tinha por finalidade ser rota de fuga e treinamento. Em seu interior, as celas abrigavam prisioneiros. Atualmente, está transformado em museu.

No pátio interno, homens fortes praticavam exercícios, corriam e faziam flexões ao lado de inúmeros carros robustos e lustrosos. Observá-los não estava em nosso roteiro, embora a cena fosse interessante. Então, seguimos em direção ao subsolo, onde nos deparamos com caminhos estreitos de tijolos expostos, aberturas em arcos. Não saberia especificar se foi o tipo de construção, a umidade ou a ausência de ventilação natural, o certo é que me senti transportada para cenários de filmes de suspense e mistério, em que corvos estridentes e endoidecidos poderiam sair de seus esconderijos e vir, subitamente, de encontro a nós. Temor? Nem um pouco, logo reconheci que estava movida por certo encanto cinematográfico. De qualquer forma, fica o registro para cineastas — o local é inspirador. A visita era guiada por um oficial habilidoso, que logo de início teve de lidar com um problema inesperado: a senhora de vestido marrom, ao meu lado, começou a passar mal, dizia ter falta de ar; teve de ser retirada.

— É claustrofóbica — explicou a amiga.

O túnel nos pareceu imenso, mas já foi bem maior, teve obstruções, uma delas em virtude de obras da linha do metrô na avenida Tiradentes. Atenta às explicações do guia, tentava anotar detalhes da construção e das peças militares ali expostas, entretanto, ruídos se intercalavam: a mulher reclamando de seus calçados, o choro da criança no carrinho, a fala nervosa da mãe ao celular. Comentários insossos de dois rapazes com sotaques interioranos fizeram me lembrar de um tio que tinha o costume de contar piadas em velórios, era inadequado como ele só! Comecei a imaginar a possibilidade de percorrer sozinha aquele espaço de grades, curvas e reentrâncias; era como estar dentro de um baú de memórias. Aqueles objetos expostos no chão e nas paredes pareciam ávidos por contar coisas que talvez não constassem nos anais. Em um canto, estavam instrumentos que foram levados pelos soldados paulistas à Guerra de Canudos, isolados e sombrios; saltavam lembranças, mas quais? Uma das conexões do túnel era com o presídio

Tiradentes, usado como prisão política — como se deu isso? O quartel foi tomado na Revolução de 1924; o que aconteceu naquele subterrâneo? A respeito desse movimento, fomos informados de que na rua ao lado podiam-se ver sinais da batalha travada ali, estavam na chaminé de uma antiga usina de energia elétrica.

Como aquele tema não despertou interesse a mais ninguém, pude permanecer algum tempo diante da usina, tentando reconstituir o cenário daquela guerra civil. Difícil imaginar que, na mesma nação, grupos se digladiam, tornando-se inimigos a serem eliminados violentamente. Naquela rua, ficaram posicionados tanques de guerra com soldados atirando para matar os militares alojados no quartel, que, por sua vez, revidavam.

Naquele momento, percebi a importância do que estava diante de mim: a testemunha desse combate, a chaminé ferida. O que teria a me dizer? Era responsável por gerar a energia da região, tinha potência, vigor, até mesmo certa elegância. De repente, estilhaços detonaram o sentido de sua existência. Talvez guardasse em si certa perplexidade. Talvez naquele momento tivesse gritado:

— Parem com isso! Que barbaridade!

E, como uma irmã mais velha, gostaria, quem sabe, de ter colocado todos enfileirados, um em frente ao outro, para que pedissem desculpas e fizessem as pazes, ralhando com todos.

— Onde já se viu uma coisa dessas? Irmão contra irmão!

Agora, a chaminé permanece ali, em silêncio, quase sem ser notada. Procurei indagar a conhecidos e familiares a respeito de seu significado.

— Chaminé, onde?

— Revolução, qual?

A maioria se lembrava da Revolução de 1932, porque é comemorada na cidade. Apenas um amigo que mora na Mooca guardava lembranças deixadas pelo seu avô.

No ano de 1924, o inverno havia sido rigoroso, galhos secos pendiam aqui e acolá, e os tanques de guerra iam esmagando as folhas amareladas no chão úmido e frio. O conflito começou em 5 de julho e durou 23 dias. O quartel fora ocupado por um grupo de militares sob o comando do general Isidoro Dias Lopes.

A lente da história aponta que praticamente no mesmo espaço urbano, dois anos antes, acontecia no Theatro Municipal a Semana de Arte Moderna. Como movimentos tão distintos puderam ter acontecido na cidade que já era símbolo de desenvolvimento econômico e cultural?

De um lado, o modernismo, convocando artistas de diversas áreas para a busca de novas formas de expressão, mais criativas e vigorosas. E de outro, o descontentamento com os rumos políticos do país, agregando militares em defesa de uma nova forma de governar, ante aquela considerada autoritária e excludente. Julgavam-se necessários a deposição do presidente e um novo ordenamento jurídico que contemplasse reformas sociais e políticas relevantes. Constavam da pauta a instituição do voto secreto e a defesa do ensino público.

A cidade contava com um parque industrial considerável, no qual trabalhavam milhares de imigrantes que haviam deixado suas terras de origem em busca de trabalho e de melhores condições de vida. A população foi pega de surpresa pelos bombardeios na região central e nos bairros operários. Quem tinha condições tratou de buscar refúgio fora da área de conflito. A maioria não tinha para onde fugir e acabou sendo afetada pela violência, pela fome, pelo isolamento. No auge do desespero, muitos começaram a saquear armazéns e lojas, em busca de alimentos e outras necessidades básicas. Foram instalados alojamentos e centros de atendimento médico. Refeições eram distribuídas aos moradores, em meio aos tiroteios.

E tragédia maior aconteceu: a cidade começou a sofrer bombardeio aéreo. Bombas foram lançadas indiscriminadamente, matando a população civil, destruindo moradias, destroçando abrigos, arrebentando fábricas.

Entre as anotações de seu Pepe, avô de meu amigo, estavam algumas referentes a esse episódio. Ele contava da dificuldade da vizinha em explicar para o neto por que não podia sair do porão, onde a família se escondera. Falou do desespero de uma idosa, dona Concheta, ao escrever uma carta para a filha: "As bombas estão cada vez mais perto, estou com muito medo, venha me buscar". "Uma dessas bombas", descreveu o avô, "caiu bem no galinheiro de seu Paco, acabou com as galinhas e deixou o cachorro, Duque, inerte numa poça de sangue". A frase terminava com as expressões: "Covardes! Assassinos! Insanos!". Se não fossem os problemas de saúde, pois estava com tuberculose, teria se alistado para ajudar os rebeldes.

— Era um anarquista convicto — me disse o amigo.

Seu Pepe, como tantos outros imigrantes, trouxe na bagagem os ideais de seu país de origem. Os anarquistas procuraram se unir como uma força política ao movimento rebelde, mas queriam atuar de forma independente, o que não foi aceito pelo comando da rebelião. Individualmente, muitos aderiram à causa, acreditando que poderia beneficiar os trabalhadores. A elite econômica e política manteve-se como espectadora; não lhe coube o protagonismo.

Enquanto os modernistas inspiravam-se em estéticas civilizatórias, os generais foram buscar inspiração na barbárie, copiando o método de bombardeio terrificante empregado pelos alemães na Primeira Guerra Mundial, qual seja, bombas lançadas a esmo contra a população civil, como forma de causar pânico e terror. Mas não estava em vigor a Convenção de Haia, para proteger os não combatentes? Estava.

Sem abertura para negociação ou diálogo, o comando das forças federais anunciou que a cidade toda seria destruída pelo bombardeio. Em termos de poderio bélico, os rebeldes não tinham condições de competir, então, ante a ameaça sinistra, optaram pela rendição. Seguiram em direção ao sul do país, girando a roda da história rumo à Coluna Prestes e à Revolução de 1930.

Perdas, lágrimas, gemidos — esse saldo de dor não foi contabilizado. Há registro de 503 mortos, 4.846 feridos e 20 mil desabrigados. Esses números podem ser maiores, segundo alguns historiadores.

Outro dia, voltei ao local da antiga usina elétrica. O sol brilhava naquela manhã de verão, a marca de bala na chaminé reluzia feixes luminosos na forma de um cone que se projetava para o céu. Acreditei estar diante de uma alucinação, entretanto, um senhor de terno e gravata postou-se ao meu lado e ficou admirando em silêncio. Depois foram chegando outras pessoas: um grupo de estudantes, uma senhora com sacolas de compras, até que se formou ali certa aglomeração. Todos com olhares fixos no cone que projetava cores de um prisma na atmosfera: vermelho, amarelo, verde, azul, de intensidade variada. A estudante de mochila nas costas rompeu o silêncio e declarou:

— Isto é um sinal! Um sinal!

A GREVE

Tatuagens despontam de todas as formas nesta cidade; aquela destoava das imagens conhecidas, fui lançada no cenário de guerra internacional: chamas, ruínas, violência. Vi tatuado em seu braço esquerdo "1917". Na verdade, tratava-se de registro de fatos não acontecidos no exterior, mas na nossa área urbana.

— É uma data que não se pode deixar no esquecimento, foi a primeira greve geral do país e começou aqui na Mooca — explicou ele.

Contrários ao processo de apagamento da história, surgem, por sorte, movimentos de resistência cultural que procuram reavivar fatos significativos. É o que acontece na Mooca, onde um grupo de moradores tem por costume celebrar, em julho, a luta dos operários em defesa de uma vida digna.

A torcida do time Juventus reivindica a greve histórica. O time é de trabalhadores; o estádio foi construído pelos patrões.

— Mas tijolos não movimentam bola, não fazem gol — afirma o torcedor.

Aquela área da cidade passou nos últimos anos por uma transformação radical — antigas fábricas fechadas, altas torres ocupando espaços de residências demolidas; do Cotonifício Crespi, onde começou a greve, resta apenas a fachada. "Mooca é Mooca, entende?", é o sentimento dos moradores, entrelaçado à memória de seus antepassados, imigrantes, do qual se projetam fios construtores do relato que transmito a seguir, antes que seja tarde.

No início do século passado, não só na Mooca como também nos bairros próximos — Brás e Belenzinho —, desenvolvia-se um parque industrial com capacidade de produzir bens de consumo, visando a substituir importações de produtos. Por ali, foram instaladas fábricas de tecidos, alimentos, bebidas, entre outras. E, para operar máquinas e circular mercadorias, chegaram os imigrantes.

"Venham, venham! Há trabalho para todos". Esse era o lema da campanha para arregimentar europeus — *nuovo lavoro*, no qual participariam todos os membros da família, inclusive crianças. Muitos foram alojados em vilas operárias, localizadas próximo ao local de trabalho. Apesar de a escravidão ter sido abolida no final do século anterior, o espírito escravocrata prevalecia; sem legislação que amparasse os trabalhadores, predominava a ordem patronal.

As condições de trabalho, que já eram inadequadas, pioraram durante a Primeira Guerra. Para atender a demanda externa, produtos eram exportados e faltavam nos armazéns. Exigia-se mais produtividade dos operários, sem contrapartida salarial. A diminuição da oferta de alimentos fez com que os preços aumentassem, restringindo o consumo dos que dependiam de salário. Não bastasse a carestia de vida, passou-se a exigir de cada trabalhador italiano uma contribuição para ajudar a "pátria-mãe" em guerra.

Imigrantes, principalmente italianos e espanhóis, traziam em suas bagagens o ideário que sinalizava a possibilidade de outra forma de viver — *nuovo vivere*. Tendo por base princípios de concepção anarquista, trataram de sedimentar na nova terra as condições para atingir o ideal de sociedade — foram criados sindicatos e ligas de bairros; jornais com notícias de interesse dos trabalhadores passaram a circular nos bairros operários.

Essa estrutura foi fundamental para que o movimento por melhores condições de trabalho, iniciado, em sua maioria, por mulheres, em junho de 1917, no Cotonifício Crespi, se espalhasse para outras fábricas, paralisando a cidade. Revoltada pelo não atendimento das reivindicações, a população começou a saquear armazéns, incendiar bondes e formar barricadas nas ruas.

Comícios e manifestações eram fortemente reprimidos pelos agentes públicos. A cavalaria avançava contra as pessoas aglomeradas; soldados iam com o corpo colado no animal, agitando o sabre, pegasse em quem pegasse; a ordem era para ferir, matar; dispersão a qualquer custo. A repressão brutal contra grevistas gerou uma tragédia: a morte de um trabalhador. "Martinez morreu!", "Martinez foi assassinado!".

A notícia circulava de porta em porta. Providências várias. Reuniões de emergência nos sindicatos e ligas de bairros. Nas casas operárias, moradores se preparavam para o comparecimento ao velório: em uma delas, dona Paola cerzia a blusa guardada há anos; em outra, a *nona* acendeu vela para São Vito. Depois das orações, retirou do alto do guarda-roupa caixas com sapatos e o chapéu de feltro do filho mais velho, enquanto o neto, Enzo, saía de bicicleta para avisar parentes mais distantes.

De um dia para o outro, juntou uma multidão no Brás. Operários chegavam de toda parte para o funeral do sapateiro espanhol José Gimenez Martinez, no dia 11 de julho. O cortejo saiu da rua Caetano Pinto e cruzou a cidade em direção ao cemitério do Araçá. Quando passava pela rua Rangel Pestana, a menina Bianca correu para chamar a mãe:

— Estão chegando, vamos mãe, vamos!

E saíram apressadas para compor aquele cenário inédito, talvez único na história, em que uma pessoa, cuja riqueza era apenas sua força de trabalho, recebia a homenagem que se costuma atribuir apenas a detentores de fortuna ou fama. Milhares de pessoas, caminhando de forma solene, pavimentavam silenciosamente a indignação propulsora de nova estratégia de luta. Discursos no cemitério chamavam a população para a greve geral — que aconteceu a seguir. O movimento tomou conta da cidade. Mesmo os que não tinham o que reivindicar participaram da paralisação por solidariedade.

Jornalistas se propuseram a intermediar negociações entre representantes de grevistas e patrões. A pauta de reivindicação era composta por diversos tópicos — priorizava a libertação de grevistas presos e tratava de direitos sociais e trabalhistas; o aumento salarial vinha em segundo plano. No dia 14 de julho, foi assinado um acordo; dias depois, a greve chegava ao fim, por decisão da assembleia reunida no largo da Concórdia.

Com a greve finda, a repressão avançou para desestruturar a organização dos trabalhadores: prisões, torturas, maus-tratos, deportações.

Atualmente, naquela região, motores das antigas fábricas não se movem nem circulam os jornais dos trabalhadores, não há comícios de rua, não se ouvem discursos nem trotes de cavalos. Por lá, ecos do passado embalam outro cenário — *nuovo sognare*. E a torcida do Juventus canta:

— Sou operário! *Bella ciao, bella ciao, bella ciao, ciao, ciao.* Na Javari resistiremos, como cem anos atrás.

A DEMOLIÇÃO

Correu a notícia de que a vila de casas seria demolida. Em seu lugar, um novo empreendimento imobiliário no bairro Vila Mariana. A vizinha da esquina, meio surda e um pouco manca, entendeu que seu imóvel seria valorizado e ligou de imediato para a filha viúva.

— Nossa casa vai valer mais de um milhão. Sim. É. Podemos morar em um belo apartamento. Perto, claro — gritava ao telefone.

As crianças da escola da rua fizeram uma reunião de emergência para debater o assunto. O garoto de óculos de grau disse que tinha uma coleção de dezessete miniaturas de escavadeiras, tratores e guindastes. Quando crescesse, queria operar essas máquinas, não via a hora de vê-las no terreno, para lá, para cá, brincando com o entulho. O loiro de cabelos cacheados gesticulava com os braços, imitando o lançamento das bombas sobre as casas, apontava: *pum, pum, pum*. Depois, jogou-se no chão, ficou imóvel.

— Morreu! Morreu! — gritavam todos.

A menina de chuquinha no cabelo queria saber se também a goiabeira do quintal explodiria pelos ares. O engenheiro da incorporadora, considerando o grande avanço nas negociações, preparava o projeto do empreendimento, inovador, segundo ele. Estaria de acordo com o novo padrão de comportamento da sociedade, o *co-living*, apartamentos individuais ou coletivos mobiliados, de aproximadamente vinte e quatro metros quadrados por unidade, com áreas de convivência compartilhadas pelos moradores. Tendo em vista as condições favoráveis do local: hospitais, farmácias, supermercados, padarias e metrô; seria indicado para pessoas idosas, com faixa de renda familiar média.

Os antigos moradores saíram contrariados, pois tinham apreço pelo local. Viam seus filhos crescerem juntos, faziam festas em conjunto, enfeitavam com bandeirinhas a vila na época de São João, torciam juntos nos jogos da Copa. Não queriam a demolição; as casas tinham um valor histórico, haviam sido construídas em 1930. Entraram com uma ação junto aos órgãos competentes da prefeitura; o processo ficou parado durante treze anos. Quando perceberam que tudo viria abaixo, decidiram se mobilizar. Contrataram profissionais para fundamentar a causa, foram atrás das autoridades e acabaram conseguindo a aprovação para análise do processo de tombamento. Por ora, a demolição está suspensa. Até quando, não se sabe.

Considerando a relevância do assunto, resolvi, numa tarde dessas, conhecer o local. Encontrei trabalhadores levantando o muro do terreno, que havia caído com as chuvas. Pedi licença para entrar na vila, não fizeram objeção alguma, afinal estava tudo abandonado. Abriram o portão de acesso para mim. As casas eram geminadas, nas paredes as marcas deixadas pelos antigos moradores — desenhos de corações, inscrições como "Te amo" e "Meu eterno canto de paz", coisas assim, sentimentais. Confesso, senti-me comovida.

Percebendo minha empatia, sem que eu perguntasse nada, a casa de porta azul começou a falar. Disse que não se conformava com aquela situação de abandono e desprezo. Havia infiltração, o madeiramento do telhado estava apodrecendo em razão do deslocamento das telhas, a fiação prejudicada, mato crescendo em toda parte, o cheiro de mofo insuportável. Não entendia a demora para decidir uma coisa tão simples. Queixou-se:

— Dizem que somos velhas, *vogliono farci saltare in aria, sono pazzi, capisci?* [1]

---

[1] Em português: "querem nos explodir, são loucos, você entende?".

Elas sabiam que tinham uma missão a cumprir: preservar a memória desta cidade.

A casa lembrava-se do início da obra. Contou do seu Giuseppe, o construtor, um homem polido e de grande experiência; aprendeu com ele a falar italiano. O engenheiro, seu Fritz, parecia rude porque era exigente, nada que saísse errado ficaria sem reparo, trouxera da Alemanha a arte da edificação.

Garantiu que, mesmo se houvesse um terremoto, não apareceria nenhuma trinca nas paredes, a fundação havia sido bem-feita.

— *Hanno fato un bel lavoro, capisci?* [2]

O seu João, filho de espanhóis, ficou responsável pelo piso de granito. Fez desenhos coloridos, usou tiras de metal dourado, deixou tudo limpo e brilhando. Disse duvidar que as construções atuais tivessem tal esmero e solidez.

A casa tinha saudade dos moradores. Primeiro, chegou um casal recém-casado. Ela, morena encorpada, cabelos pretos longos, cintura fina, gostava de usar vestidos justos e decotados, um amor de pessoa. O marido, ciumento, vivia resmungando pelos cantos. Quando os filhos nasceram, a casa ficou mais alegre. Gostava daquelas crianças, riam à toa. Depois desses, vieram outros; nem sempre havia alegria. Na sala da frente, muitos defuntos foram velados. A casa ficava cheirando a velas. Havia choros e lamentos.

---

2 Em português: "Fizeram um bom trabalho, você entende?".

Recentemente, a casa estava bem preocupada. Ouviu dizer que o processo de tombamento sai de uma gaveta e entra em outra, e ninguém resolve nada. Não se conformava de as pessoas abandonarem as casas para se enfiarem em caixotes apertados de concreto e chamarem isso de modernidade, de qualidade de vida.

Aproveitei para dizer o que eu havia lido nos jornais, que o processo fora para análise, o que era um passo importante. Ela me disse, com ar de desalento, que não entendia os humanos, que considerava-os bem atrapalhados.

— *Sono proprio degli sciocchi, capisci?* [3]

Outra coisa que a incomodava, desabafou, era a falta de comunicação nesta cidade; ninguém escutava ninguém, nem se interessavam pelos problemas dos outros. Destacou ser eu a única pessoa a escutá-la. Não gostaria de ser transformada em cacos largados a esmo, queria ser preservada. Fez uma pausa e, após um longo suspiro, perguntou:

— *Cosa posso fare? Rispondimi.*[4]

Senti a inquietação tomar conta de mim, não tinha uma resposta imediata. Saí em busca de chaves interiores, fui abrindo porteiras até descortinar um atalho.

— Este é o caminho, é para lá que eu vou — concluí.

Resoluta, encarei-a de frente, dei uma piscadela e, com ar de cumplicidade, disse:

---

3 Em português: "Eles são tolos, você entende?".
4 Em português: "O que eu posso fazer? Responda-me".

— Sei o que eu posso fazer, confie.
Na saída, deixei o portão aberto.

A SALA

— O quê? Uma caixa de sapato gigante! Dizem que o engenheiro e maestro Chris Blair ficou maravilhado ao reconhecer no grande *hall* da estação Júlio Prestes a caixa com mesmas escala e geometria de três grandes salas de concerto: o Symphony Hall, de Boston, a Musikvereinssaal, de Viena, e o Concertgebouw, de Amsterdã. Resultado: o *hall* transformou-se na Sala São Paulo, uma das mais modernas e completas salas de concerto do mundo. É também sede da Orquestra Sinfônica do Estado de São Paulo e do Coro da Osesp. Acústica perfeita. Laje flutuante. Teto com quinze painéis, para ajuste acústico de cada composição. Tudo planejado para a qualidade do som: forro móvel, balcões, palco, poltronas. Enfim, no antigo espaço, o enlace poético de música e arquitetura.

Na inauguração, em 1999, as autoridades presentes assistiam à execução da *Sinfonia n. 2*, de Mahler, que trata da dor e do sofrimento do ser humano, bem como de sua fé e esperança. Enquanto isso, do lado de fora, ouviam-se apitos, tambores, vaias. Moradores do entorno protestavam por se sentirem excluídos socialmente, apontavam outras prioridades, inclusive a de sobrevivência. O representante do governo tentava amenizar os ânimos, dizendo que aquilo era apenas o início de um grande projeto de revitalização da área, ao final, todos sairiam ganhando. Isso já faz um bom tempo e não se tem notícias de tal ganho.

Num sábado à tarde, fui até lá para assistir a um concerto. Tentava me situar naquele ambiente, observando seus detalhes: porta-manta-piso-sapato-parede-brinco-óculos--laço. Em cadeira de rodas, uma senhora de cabelos brancos seguia cantarolando *Bolero*, de Ravel. Vozes inaudíveis produziam zumbidos de colmeia. Na busca por um café, surpreendi-me com o trem que trafega ao lado.

Ali me avistei menina, de tranças e saia xadrez, na viagem para visitar parentes distantes, recitando para a mãe o poema "Trem de ferro", de Manuel Bandeira, que aprendera na escola. Queria ver bicho do mato, boi no pasto, correr, voar:

— Ah, agora sim, veja, mãe, veja, aôôô...

O sinal para o início do espetáculo me retirou do palco da infância, minha mãe gesticulou:

— Vá, vá para dentro, vá...

Do centro da plateia, eu acompanhava o movimento de cada músico — agora, sim, passa violino, passa harpa, passa clarinete, tantos instrumentos! A batuta do maestro saltava em busca do néctar naquele jardim musical. Na plateia, silêncio absoluto; até mesmo uma criança ao lado permanecia quieta na poltrona, apenas seus pés balançavam o sapatinho rosa.

Na composição de Felipe Lara, intitulada Ó, interpunham-se à música sons de "ó" e uma voz que dizia algo assim: "Caminhar sobre as cinzas dos pés, cinzas das solas, cinzas do asfalto, pó cinza pousado em tudo". O estranhamento deu sequência à minha necessidade racional de explicações. De um lado, as sensações produzindo rumores viscerais; e, de outro, a mente inquisidora: onde tudo é cinza? O que diz este homem? Percebi leve tremor nos dedos da mão esquerda — era minha orquestra harmonizando emoções, dissipando dúvidas e questionamentos. Naquela tarde, deixei-me levar pelas águas do mistério e encantamento, deslizando para a composição seguinte, *A ilha dos mortos*.

A plateia foi convidada a participar da conversa entre o compositor e o maestro, após o concerto. Felipe Lara falou a respeito de sua obra, baseada no livro homônimo de Nuno Ramos, Ó. Alguém da plateia perguntou como escrevia composições musicais, ele respondeu:

— Com lapiseira e papel, da esquerda para a direta.

Simplesmente assim, consegue a proeza de transpor escritas literárias em falas, ruídos, cordas, sopros, cantos e sons aleatórios. Explicou que na peça foram incluídos sons pré-gravados com a participação de crianças numa área de proteção ambiental na serra da Cantareira. Eram quarenta alunos de escola pública. Representariam a vida, a fragilidade da natureza, a juventude. Incluiu também a leitura de notícias de jornais diários, lidas durante a peça por solistas do Coro.

A conversa foi coordenada por Arthur Nestrovski, diretor artístico da Osesp. Aproveitando o depoimento de um senhor a respeito de obras contemporâneas, esclareceu o compromisso da Osesp de levar para o público composições do tempo atual e de autores brasileiros, o que era o caso de Felipe Lara.

— Na literatura, ninguém imagina não ler autores modernos — afirmou.

O maestro Neil Thomson, inglês, comentou o impacto causado pela partitura de Ó, em virtude de sua complexidade, muitos instrumentos, vozes. De qualquer forma, sentia-se privilegiado em reger a peça. Apresentava-se para ele o desafio de escolher a música seguinte. Então, pensando nas questões da vida e da morte, presentes no texto de Nuno Ramos, decidiu por *A ilha dos mortos*, de Rachmaninov. Foi inspirada no quadro do século XIX, de Böcklin, que traz a imagem de Caronte conduzindo um morto ao destino final: a bela e lúgubre ilha de rochas e ciprestes. Tal conversa acabou por provocar em mim algumas inquietações, das quais não encontrei interlocutor até o momento: como explicar a criação artística? De qualquer forma, pareceu-me incrível o entrelaçar de palavras e imagens em poemas sinfônicos.

Gostei tanto da experiência que resolvi agendar uma visita à Sala. Por erro de trajeto, acabei entrando na área conhecida como "cracolândia", a antessala que se estende pelas ruas ao redor da sala de concertos. Por ali, outro tipo de sinfonia trata da dor e do sofrimento em estado bruto e da fé e esperança descarrilhadas. Executada em dó maior, com grandes contrastes. Ecoa por toda a área.

Você consegue ouvir?

A ANTESSALA

Conhecer detalhes da Sala São Paulo? Claro! Com o mapa mental construído a partir de minha experiência ao assistir a um concerto da Osesp, rumei em direção ao meu porto, a Sala. Estava a poucos metros, quando ondas emergiram subitamente e me lançaram em um mar de estranheza. Sem a habilidade de Amyr Klink, permaneci à deriva. Estaria em Ruanda? Ou seria o Haiti, após a passagem do furacão Matthew? Demorei a reconhecer aquele espaço encapsulado, fruto da desigualdade social: terra do crack, a "cracolândia", onde há muito tempo se vendem e se consomem drogas. Não tinha acabado? Não foi assim anunciado nos jornais pelas autoridades responsáveis? Mas ainda existe, foi o que pude constatar naquela tarde. Inimaginável área onde pessoas, muitas delas, andam de um lado ao outro, em idas e vindas. Sem conseguir desviar o olhar, tentei identificar os que estavam próximos. Pareciam não se importar com minha presença, nem com a de ninguém. Aqueles alojados nas calçadas já teriam perdido a força? Alguém movimentava as pernas tentando se encaixar embaixo de um guarda-chuva aberto no chão. Uma moça circulava com a gravidez exposta. Outros se abrigavam em lonas. Muitos se estendiam ao relento, com apenas um cobertor.

Sem teto, sem família, ao deus-dará, como pode isso acontecer? Ninguém chega à fase adulta sem ter recebido cuidados. Alguém amamentou o bebê, deu papinha, ensinou a andar, a falar. Sabem ler e escrever? Possivelmente, sim. Fosse tartaruga, ao romper o ovo, correria direto para o mar. Fosse sabiá, em pouco mais de um mês, arranjaria seu próprio sustento. Fosse tigre, aos dois anos, caçaria sozinho. Humano é diferente. Demora a crescer, demora a aprender, demora a se reconhecer, precisa do outro. Toda gente teve acolhimento algum dia, sem dúvida. Onde se deu a ruptura na vida dos que se abrigam nesse território?

Pesquisadores consideram o crack uma droga perigosa; produz sérios danos ao cérebro, encurta a vida. Entre os principais efeitos constatados em usuários estão surtos psicóticos e alucinações, dizem.

Aqueles que estavam à minha frente sabem disso? Pareciam aprisionados no mundo interior, alheios ao que acontecia ao redor: prostituição no parque da Luz, dois carros trombados na esquina, atraso do trem, atropelamento do ciclista na avenida Duque de Caxias, concerto na Sala São Paulo. Onde é tudo isso? E das mazelas do país — o quê? Na fumaça do cachimbo a realidade se dispersa.

Ao se referir ao problema da população daquela região, o professor da Unifesp, o médico psiquiatra Dr. Dartiu Xavier, afirmou: "Elas são pessoas que estão ali porque elas não têm onde morar, não têm o que comer, não têm trabalho, não têm acesso à saúde nem à educação e são excluídas da sociedade".

A ciência explica o processo da dependência química: a droga penetra nos receptores do neurônio e transmite a sensação de prazer, o cérebro acha que tudo o que dá prazer é bom para o organismo.

Como distinguir a realidade no processo de alucinação? A mulher de saia florida com enfeite na cabeça, requebrando, estaria se julgando Carmen Miranda, com seus adereços e requebros, a perguntar: "O que é que a baiana tem?". E aquele, de barba longa, olhos baços, com um cajado, gestos bruscos, poderia ser Antônio Conselheiro? O velho arrastando um saco de juta imaginava-se Papai Noel levando presentes às crianças carentes na noite de Natal? Como decifrar os enigmas da alma?

O documentário *Hotel Laide* mostra o trabalho que estava sendo realizado para a recuperação voluntária dos usuários que desejassem deixar a droga. Acompanha o acolhimento de uma moça no hotel, que aparenta ser aconchegante: sofás, quadros nas paredes, vasos com flores. Típico daquelas casas de subúrbio, enfeitadas, sempre com um café disponível para visitas. A moça é recepcionada por outra moradora, em fase de recuperação:

— Você sabe, já fui zumbi. Ela estava tentando deixar o vício.

Ao falar de si, a nova voluntária relata:

— Só decepção, decepção... A vida não é um conto de fadas.

Em uma das cenas, uma mulher caminha pelas ruas repletas de drogados, levando uma criança no carrinho cor-de-rosa. Durante o percurso, ouvem-se repetidos alertas:

— Olha o anjo aí.

— Olha a criança aqui!

— Ô, anjo!

Ante a inocência, tratam de esconder o cachimbo do crack.

Essa cena me transportou para o chão nosso de cada dia e, refletindo a respeito do futuro daquela criança, ousei indagar: o "anjo" conseguirá transpor a antessala? Sentará na poltrona confortável da Sala São Paulo? Ao ouvir a sinfonia *Ressurreição*, de Mahler, conterá seu choro? Ou permitirá que as lágrimas escorram pelas vielas de sua história de vida?

Um incêndio destruiu o hotel. Móveis, roupas, quadros, paredes... Tudo queimado. Procurei entre os destroços vestígios da fé e da esperança.

Por enquanto, só cinzas.

BRECHERET

Então, o *Monumento às Bandeiras* amanheceu coberto por tintas coloridas. Indignação geral:

— Vândalos! Incautos! Brutos!

A reflexão sobre a estupidez do ato acessou escarpas da minha memória. Sem equipamentos adequados, escalei lembranças em etapas. Quando criança, estava o pai a me guiar pelo gramado; apontou de forma solene para aquelas imensas esculturas humanas:

— Bandeirantes!

Com o braço levantado, parecia trombetear valores até então desconhecidos para mim: coragem, bravura, determinação! Vindo do além-mar, também ele tivera que cultivar tais qualidades, ao enfrentar os desafios para sobreviver numa terra estranha, que afinal o acolhera. Mais tarde, nos bancos escolares, dona Mirtes nos mostrou a figura de um homem forte, barbudo, com chapéu de abas largas e uma espingarda na mão:

— Bandeirante! — disse ela.

Percebi que seu olhar permanecera vagando algum tempo por aqueles traços, de repente — ouvi bem —, deu um suspiro; parecia deslumbrada pela figura viril e elegante. De suspiro em suspiro, fomos assimilando a versão de heroísmo das bandeiras: o país, espremido pelo Tratado de Tordesilhas, alargara-se, jorrando riqueza. Na adolescência, junto ao *Monumento às Bandeiras*, o riso incontido do grupo de amigos diante daquilo que nos parecia ser uma comédia.

— Estão puxando o que, otários?

Não fomos os únicos a observar as correias afrouxadas da canoa; o detalhe gerou ao monumento o apelido "deixa que eu empurro". Com estudos mais avançados, descobri fragmentos ocultados da nossa história. Bandeirantes, hein? Revelara-se, enfim, a farsa do mito de herói, que não resiste à mínima luz da verdade. Quanto ao escultor, Brecheret, esse reconheci bem depois.

As esculturas de Victor Brecheret estão espalhadas por toda a cidade. Entretanto, pouco perceptíveis pelos bandeirantes modernos, sempre em busca de novas conquistas, nem que seja o ganha-pão do dia. Não é o caso do *Monumento às Bandeiras* que, junto ao parque Ibirapuera, compõe um cenário que enquadra qualquer olhar desatento; é colossal. Com o tema das bandeiras paulistas proposto pelo escritor Menotti del Picchia, Brecheret, baseando-se na história oficial, projetou a escultura que levaria décadas para se concretizar. Em imensos blocos de granito, a representação dos desbravadores de sertões: negros, indígenas e brancos. Foi inaugurada em 1953, integrando um conjunto de obras para a comemoração do IV Centenário da cidade, no ano seguinte.

Brecheret foi uma dessas pessoas raras que tiveram a possibilidade de desenvolver seu dom nato. Familiares contam que, ainda criança, seu divertimento preferido era moldar argila; a riqueza de detalhes denotava o observador atento às coisas de seu mundo. Estudou no Liceu de Artes e Ofícios; posteriormente, aprimorou-se em cursos no exterior. Durante a Semana de Arte Moderna, algumas de suas obras foram expostas no Theatro Municipal. Integrante do movimento modernista, tornou-se amigo de Mário de Andrade, que o influenciou na busca pela cultura indígena, como fonte de inspiração. Havia, naquela época, o interesse no desenvolvimento da identidade brasileira, no qual as diversas formas artísticas revelariam sua expressão. No norte do país, encantou-se com as obras dos índios marajoaras; em suas mãos, foram tomando formas e contornos singulares.

Fazendo um paralelo, enquanto os bandeirantes desbravavam o território em busca de minerais e de escravos, os modernistas percorriam o país à procura de manifestações culturais, acolhendo elementos inspiradores. Percebe-se, atualmente, alastrarem-se ideias contrárias à diversidade e também contra a preservação da cultura dos povos indígenas. Autoridades chegam a pregar, em nome da modernidade, a transformação de indígenas em mão de obra barata nos centros urbanos.

Algumas esculturas de Brecheret estão muito presentes em minha memória porque cruzo, sistematicamente, com elas em minhas andanças pela cidade: *Eva*, exposta no Centro Cultural São Paulo; *Depois do Banho*, no largo do Arouche; e *Duque de Caxias*, na praça Princesa Isabel. Desta última, uma curiosidade: foi custeada por operários, possivelmente imigrantes, que doaram um dia de trabalho para a criação do monumento.

Outro dia, ao visitar a Pinacoteca, uma de suas obras me causou um impacto melancólico — *Musa Impassível* —, talvez porque era um sábado brumoso, talvez, quem sabe? O fato é que não conseguia me desligar de sua presença luminosa. Visitantes iam e vinham, posavam para a foto e eu permanecia envolta pela magia de suas formas sutilmente avantajadas. Pudera, na solidez do mármore ecoavam versos da poeta parnasiana Francisca Júlia da Silva, morta em 1920. No poema que deu título à obra, ela exclama:

Ó Musa, cujo olhar de pedra, que não chora,
Gela o sorriso ao lábio e as lágrimas estanca!
Dá-me que eu vá contigo, em liberdade franca,
Por esse grande espaço onde o impassível mora.

Entalhes poéticos na rocha cristalina e compacta deram contornos à escultura, que adornava o túmulo da poeta parnasiana Francisca Júlia da Silva, no cemitério do Araçá, até recentemente.

Ao longo de toda a sua vida, Brecheret dedicou-se a criar imagens de maneira ininterrupta, aprendendo com grandes mestres e recriando, em peças monumentais ou diminutas, a singularidade das formas precisas. Apesar do talento, a valorização de seu trabalho não constitui unanimidade; a alguns, incomoda. Foi o caso da obra *Fauno*, representação de Pã, divindade grega. Instalada originalmente no jardim da biblioteca municipal, foi removida para o parque Trianon, por pressão de religiosos. Em seu lugar, instalou-se uma grande cruz. Mesmo sentindo-se rejeitado, o *Fauno* se encanta com os gorjeios dos pássaros naquela área da avenida Paulista.

Sonho com Brecheret nessa noite. Ele me entrega, em seu atelier, uma chave enferrujada, e com ela abro o cadeado antigo de um grande baú de madeira, contendo peças de cerâmica indígena; cada uma ele examina com cuidado, parece decifrar algo. De repente, vejo em suas mãos uma pequena estatueta.

— Marajoara — ele diz.

Com um ponteiro, redesenha os símbolos em preto na peça. Ao terminar, entrega-me a obra solenemente:

— Aqui, a nova fonte.

A RODA

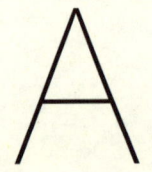

Ao caminhar pelas ruas do bairro, ouço vozes acaloradas. Homens discutem sobre futebol; parece que há discordância quanto ao pênalti do jogo. Sinto cheiro de churrasco, a grelha está com espetos de carne na calçada. Garrafas de cerveja vazias são depositadas embaixo das mesas. Botecos estão em toda a parte desta cidade — para mim um território inexplorado. Assisto de longe a animação, cruzo a avenida.

Apenas meus passos ecoam na alameda arborizada, o brilho entrecortado da lua cheia conduz meu destino: a casa de portão azul. Na calçada, estão algumas pessoas; não conheço nenhuma delas, vou direto ao pátio. Do lado esquerdo, troncos trançados formam uma fogueira. Um senhor de cabelos grisalhos tenta acendê-la, a fumaça se espalha pelo recinto. Após algumas tentativas, finalmente o fogo brilha. Silhuetas se alternam na vibração da madeira, provocando em mim um deslumbramento de tal ordem que me senti a mortal que acabara de receber o fogo roubado do Olimpo por Prometeu. Sim, conheci outras nos campos da meninice junto aos balões, iluminando os festejos de junho; lá a diversão e o entretenimento, aqui, apenas a contemplação. Ao observar as chamas como se o olhar estivesse em câmera lenta, entendi por que os deuses gregos temiam entregar tal poder aos humanos. A força que cria, transforma, destrói. Fascinante!

O movimento de pessoas colocando tambores próximos ao fogo interrompe o encanto.

— É para aquecimento do couro — dizem.

Parece que todos conhecem as etapas do ritual. Não é o meu caso, tenho de aguardar instruções. Caminho por um corredor de onde avisto as construções vizinhas — prédios altos e modernos. É um cenário contrastante. De um lado, a modernidade atrelada ao racionalismo; de outro, a busca por caminhos que possam resgatar conhecimentos ancestrais. Desde a Antiguidade, diversos povos ao redor do mundo reúnem-se em torno de fogueiras para práticas xamânicas, por meio das quais possam receber orientações de espíritos auxiliares a respeito de problemas que os afligem, de saúde ou de outra ordem.

Estava frio, resolvi me esquentar junto à fogueira. O guardião do fogo se aproxima com sua vareta, coloca novos gravetos e pinhas secas, bate nos tambores e separa os que já estão prontos para o toque. Ouço estalidos da lenha, com as chamas promovendo uma coreografia instigante. Ao perceber meu torpor, a senhora ao lado diz:

— Salamandras!

Ante a minha surpresa, acrescenta:

— São espíritos do fogo se manifestando.

Um aviso colocado no salão da vivência indica ser um lugar sagrado, pede-se para entrar descalço. Procuro me situar quanto ao horário. Na parede em frente há um relógio, mas seus ponteiros não se movem. Qual o tempo deste momento? Um quadro pendurado do lado direito tece o mistério: um velho indígena sentado no chão, absorto, com o olhar no infinito; à sua frente, o brilho de uma espiral descendente de luz; ao lado, um lobo uiva enquanto a águia plana com as asas abertas. Tive a impressão de que aquela imagem compunha em traçados coloridos a conexão com o todo, na qual sujeito e objeto se interligam, afinal, qual o instrumento de medição de tal experiência? No quadro, a representação de um tempo de significados, sem contornos cronológicos. Naquele vislumbre, o velho indígena acionara meus ponteiros, que giraram rápido. Reconheci viver aprisionada às horas, sempre em marcha, sempre.

Das vigas do teto, pendem aros de cipó; no centro, se entrelaçam linhas coloridas em formato de teia de aranha; abaixo, estão pendurados feixes de contas e penas diversas, oscilando ao vento — um ornamento de tradições indígenas.

Procuro um espaço no chão para colocar minha esteira e manta; junto-me à roda composta basicamente por mulheres que buscam solucionar algum problema — hoje em dia, quem não busca? Através da jornada xamânica, elas iriam ao encontro do animal de poder: a possibilidade de harmonia e equilíbrio. A jornada segue etapas, a primeira delas é a definição de objetivos. Enfatiza o senhor grisalho:

— Sabemos que as dificuldades são muitas, mas é preciso ter foco no que se pretende curar, seja dor física ou dor emocional.

Ao meu lado, duas senhoras trocam ideias. Estão em dúvida quanto às prioridades, fazem anotações. Finalmente, consigo distinguir na teia interior o fio nostálgico de minha existência; antes que tudo se emaranhasse, anotei rapidamente em minha caderneta.

Com a vibração de maracas, portais vão sendo abertos à medida que se acendem as velas em cada ponto cardeal. Diante deles, um mantra específico era entoado. No centro da roda, a união de três chamas: azul, dourada e rosa. A fumaça de incenso se espalhava pelo ambiente, contornava os arcos de cipó do teto.

É chegada a hora de se deitar na esteira para o relaxamento. Uma senhora de cabelos longos e negros, de bata estampada, com brincos e colares de penas coloridas, orienta as etapas. Primeiro, observar o contato do corpo todo no chão, para depois ir relaxando parte por parte. Em seguida, acompanhar o movimento respiratório, a entrada e a saída do ar dos pulmões. Aparentemente, tudo muito simples, não fosse a mente dispersa. Enquanto observava os pés, via-me caminhando pelas montanhas da trilha inca, o ar começando a faltar. Reoriento-me: não, não estou nos Andes.

Uma fábula começa a ser contada: a da corsa que vai ao encontro do Grande Espírito. Caminha tranquilamente pela floresta, de repente, aparece um demônio à sua frente; utilizando diversas formas de intimidação, tenta fazer com que ela desista de seu propósito. Percebendo a manobra, não se deixa intimidar, pede licença de maneira cordial, é gentil; seu olhar reflete amor e compaixão. Surpreso, o demônio perde o controle de sua manipulação, acaba por diminuir até ficar do tamanho de uma casca de noz. Assim, a corsa pode prosseguir seu caminho, abrindo passagem para que outros animais sigam até a morada do Grande Espírito. Ao término da fábula, seguem as considerações: amor e gentileza são chaves para abertura de caminhos. Aquele demônio representaria todo comportamento de raiva, ódio, intolerância e outras emoções negativas que impedem o acesso à verdadeira essência de cada ser. A instrutora incentivava todos a utilizar a medicina da corsa ao se depararem com algum demônio. Chispas de memória faíscam meus desatinos — por que me lembrar disso agora? Oh, não! Felizmente, começam as batidas de tambores.

Luzes são apagadas e a iluminação fica por conta de velas e algumas lâmpadas verdes. A jornada é conduzida por meio de visualização. Entra-se em um bosque, deixando para trás o burburinho da metrópole. O caminho ladeado por arbustos e folhagens leva até o topo de um morro. Do alto dá para ver uma escada, da qual se desce, contando em ordem decrescente até o retorno à base do morro. Caminha-se em meio à fragrância suave de flores coloridas até avistar uma clareira, onde se encontra o animal de poder. Após alguns passos naquele terreno árido, um colibri vem em minha direção. Em tons de azul, amarelo, verde e preto, sua coloração é brilhante. Voa em movimentos rapidíssimos para cima, para trás e plana ao meu lado. Percebendo que poderia ser meu animal de poder, comuniquei a ele meu propósito. Vamos juntos até um poço, debruço-me em sua borda e avisto no fundo uma pessoa, estendo meus braços e a puxo; não vejo seu rosto. Está gelada, treme; eu a acolho em um abraço, passo as mãos em suas costas, aliso seus cabelos.

Quando, por fim, enxergo seu rosto, vejo a mim mesma; reconheço meu resgate.

O ritual é encerrado ao som de maracás, as velas são apagadas. Cada um dos presentes entoa o próprio nome, em seguida somente as vogais. Todos agradecem ao Grande Montanha e à Mãe Búfalo Branco. A roda se encerra com um canto de louvor à Terra.

No caminho de volta para casa, passo novamente em frente ao bar, percebo que ainda alguns homens estão por lá com suas cervejas, a televisão ao fundo mostra outro tipo de roda, animada por batuques e gingados numa quadra de escola de samba. Em uma mesa do lado de fora, um senhor moreno de camisa azul e chapéu claro acena para mim, convida-me a sentar. Constrangida, tive vontade de perguntar: eu, tem certeza? Ele abre o sorriso caloroso, então, reconheço o frentista do posto de gasolina. Aceito o desafio. O samba chega até nossa mesa:

"O que é esse aperto no peito? Invade a alma, não dá pra negar..."

A MISSÃO

É curioso. Acontecem coisas nesta cidade que têm o poder de mudar a vida da gente. Aconteceu comigo outro dia, quando avistei Anchieta, na rua da Consolação. Foi assim, enquanto esperava o ônibus, chamou minha atenção o painel no muro da Escola Marina Cintra. Reconheci nele o missionário com duas crianças indígenas, provavelmente seus alunos; estavam com livros abertos. Ele segurava a cruz junto ao peito; com a outra mão, tocava o ombro direito da criança.

Interessante, inúmeras vezes estive naquele lugar, mas desconhecia o painel. Nada é por acaso, dizem, então, procurei decifrar o que aquilo representava. Seria devorada se não o fizesse? Reconheço, não estava diante da Esfinge, de Tebas, mesmo assim, senti-me desafiada a responder ao que me parecia um enigma. Por onde começar? Nos meandros da história, ir de encontro ao que se tem de notícias. Não só isso, tentar desvendar fatos ocultos, a história não contada, não revelada, a desconstruída, a que sofreu apagamento por interesses escusos. Eis a porta de entrada, pensei.

Anchieta deu início à cidade. Séculos nos separam; o que temos em comum? Na chegada, ele se deparou com a exuberância da Mata Atlântica, a diversidade da flora e da fauna, e com os povos nativos. Naquele momento, em meu campo de visão se descortinava um cenário urbano bem diverso: paredes da escola maltratadas, com pichações, edificações cinzentas, carros enfileirados, pessoas apressadas, poluição. Cadê os povos nativos?

Retornei a atenção ao mural, Anchieta em sua missão, ensinando o indígena a ler e a escrever. Por que alguém largaria uma vida de conforto em seu país para abrigar-se em terras inóspitas? Pelo que se conhece, havia nele, como em outros jesuítas, a motivação de adequar o comportamento dos nativos aos padrões culturais do colonizador, tendo por bases a catequização e a conversão ao cristianismo.

Da conquista de novos territórios jorraram para a Europa riquezas inesperadas. Com elas poderia ter havido outro tipo de enriquecimento, extraído da diversidade cultural dos povos da terra. Não foi isso que aconteceu. Foram considerados pecadores, cujas idolatrias seriam ofensas a Deus, vistos como débeis e frígidos, nos quais não se registrava atividade de alma. Filósofos como Montesquieu, Hume, Bacon negavam-se a reconhecê-los como seus semelhantes. Essa visão de mundo consta no livro de Eduardo Galeano, *As veias abertas da América Latina*.

Na primeira missa do Colégio São Paulo de Piratininga, em 1554, Anchieta foi o sacristão, com apenas dezenove anos. O local tinha uma vista privilegiada, ficava no alto de uma colina, cercado por dois rios, o Tamanduateí e o Anhangabaú; fora escolhido pelo padre Manoel da Nóbrega. Do povoado que ali se formara, deu-se o início da cidade que não para de se desenvolver até os dias de hoje.

Anchieta foi historiador. Por meio de suas cartas tomamos conhecimento do nosso passado. Sabemos que a história pode ser escrita de diversas maneiras; a que nos foi contada está calcada na visão do colonizador. Os povos indígenas tinham a tradição da oralidade, não conheciam a escrita, alguns poucos foram alfabetizados pelos jesuítas. A julgar pelas cartas de Anchieta, não foi um processo fácil, mas ele passou sua vida ensinando.

Ainda no ponto de ônibus, reparei em seu olhar para a criança, parecia estar preocupado com seu futuro. E se virasse o rosto para mim e perguntasse: e hoje, qual a situação dos povos originários? Tentei me lembrar de minhas lições escolares desse período. Parece que foi algo assim: os indígenas viviam felizes na floresta; vieram os portugueses, tentaram escravizá-los, não deu muito certo, então foram trazidos escravos da África. E aí? Percebi um hiato de memória, que precisaria ser preenchido por etapas.

Questão inicial: como o homem chegou à América? Para recuperar a história do homem americano, a arqueóloga brasileira Nième Guidon realiza pesquisas há décadas na serra da Capivara, no Piauí. Encontrou pinturas rupestres com cerca de trinta e cinco mil anos e dentes humanos de quinze mil anos, além de restos de uma fogueira de quarenta e oito mil anos atrás. Sobre o povoamento do continente americano, existe a teoria de que o homem veio pelo estreito de Behring, por volta de treze mil anos atrás. As pesquisas de Nième seguem revelando parte da história encoberta.

Quanto à questão indígena, o que aconteceu até agora não é coisa agradável para se contar. O processo de colonização resultou em muitos conflitos, escravização, mortes, abusos, violência. Alguns povos indígenas foram dizimados, outros tantos se refugiaram nas matas. Até hoje persistem tais mazelas, apesar das garantias legais. Acontecem violações e massacres por latifundiários, madeireiros, garimpeiros. Há poderosos interesses políticos e econômicos nesse conflito.

A campanha de nações indígenas pela demarcação de seus territórios ganhou maior visibilidade pela adesão de artistas brasileiros consagrados. Bethânia, Gil, Lenine, Criolo, entre outros, cantam em defesa desses povos no documentário *Demarcação Já*.

Afinal, onde estão os indígenas em São Paulo? Os guaranis vivem em aldeias: a Krucutu e a Tenondé Porã ficam em Parelheiros, e a Tekoah Itu está localizada no pico do Jaraguá. Na década de 1950 houve uma espécie de diáspora causada pela seca no Nordeste e por disputa territorial; muitos chegaram aqui em busca de trabalho, espalhando-se pela periferia. Entre eles, os pankararus foram empregados na obra do estádio do Morumbi e acabaram por se instalar na favela Real Parque. A ONG Opção Brasil registrou a presença de trinta e oito etnias diferentes na cidade.

Percebendo que precisava preencher lacunas do meu conhecimento, resolvi assistir à palestra do tupinambá Casé Angatu. Em entrevista recente, ele havia se referido à questão do etnocídio e do genocídio dos indígenas: "Vale lembrar que na ditadura militar o maior número de vítimas foi de índios. A partir do Relatório Figueiredo, soube-se que mais de oito mil índios foram mortos na ditadura", afirmou. Tais questões me interessavam, tinha de ir. Ao descer no metrô República, encontrei com Célia, amiga que não via há algum tempo. Falou de suas dificuldades, com ex-marido, filho desempregado, mãe hospitalizada. Perguntou-me o que estava fazendo por ali, naquela manhã de sábado. Quando lhe contei a respeito de Casé, surpreendeu-se:

— Tupinambá?! Cuidado, devoram gente.

Senti um toque em meu ombro, alguém sussurrou:

— Vai, filha, continue com a missão, este povo tem ainda muito a aprender.

A TELA

Tarsila? Imperdível. Quando soube da exposição da artista no MASP, tratei logo de me ajeitar para ir. Essas coisas são assim, se você não se organiza, o tempo passa, e, quando vai ver, já acabou. O MASP foi projetado pela arquiteta Lina Bo Bardi. É um assombro. A combinação de vidro e concreto áspero impõe-se pela delicadeza. Como pode a imensa caixa estar suspensa por duas traves? Vermelhas, surpreendentes. Embaixo, o vão. O vasto espaço livre, por onde vagueia a cidade. Através dele, a visão dos edifícios entrelaçados. No horizonte, o céu de nuvens escuras. Mesmo não sendo especialista, dá para compreender a complexidade da obra.

Quantos cálculos precisaram ser feitos? Quanto tempo o humano precisou andar pela Terra para conseguir um acúmulo de conhecimento que permitisse obras desse tipo? Imagine, sair da caverna, morada segura encontrada em rochas, e chegar a este estágio. Ainda tem gente que não dá valor ao aprendizado, à transmissão do saber, imagine! Bem que morar em caverna, nos dias atuais, não parece uma má ideia; a situação está cada vez mais difícil. A propósito, descobri há pouco tempo que tinha uma noção equivocada dos chamados homens primitivos, certamente por causa de filmes de qualidade duvidosa. A descoberta se deu ao assistir ao documentário *A caverna dos sonhos esquecidos*, de Herzog, sobre a caverna de Chauvet, na França. Lá foram encontradas cerca de quatrocentas pinturas rupestres. Um museu com obras de mais de trinta mil anos. O testemunho da arte da humanidade. Foram pintados leões, panteras, ursos, entre outros animais. Os cavalos parecem estar em movimento, não dá para acreditar! Primitivos tais artistas, hein? Quantos enganos na história contada! Ainda tem gente que não acredita na importância da pesquisa.

Por que a exposição no MASP me instigou? Desde jovem ouço falar no movimento modernista. Tarsila foi uma das figuras centrais desse movimento. Teve muitos mestres, estudou em Paris, aprendeu estilos modernos de pintura; inovou, produzindo algo singular, na busca de seu sentido de brasilidade. "Sou profundamente brasileira e vou estudar o gosto e a arte dos nossos caipiras. Espero, no interior, aprender com os que ainda não foram corrompidos pelas academias", disse. Seu quadro, *Abaporu*, de 1928, inaugurou o movimento antropofágico nas artes plásticas. E eu ia perder isso?

Aprender e recriar, a arte que se materializa por toda parte. Na avenida Paulista, onde está o museu, todas as construções atuais substituíram os antigos casarões dos barões do café. Utiliza-se a mais alta tecnologia para inovar. Elementos brutos, extraídos da terra, são combinados para configurar as estruturas e as relações sociais. Minerais, como chumbo, alumínio, silício e ouro, permeiam o interior e o exterior de todo o moderno cenário. Conexões interligam redes de conhecimento, pessoas de diversos lugares, os mais longínquos. Ainda há gente que não acredita na teia do saber.

Algumas obras expostas no museu já eram de meu conhecimento. Estar diante delas tem um impacto indescritível. Percebi que cada uma me atraía por um motivo específico. Qual? Sentia-me confusa naquele território, conhecido apenas por fotografias. Precisava de uma bússola para percorrer meus sentimentos. Diante da tela *A Negra* tive de me conter, havia muita gente por perto, não ficaria bem desabar ali. Mas foi quase, por um triz não caí em prantos.

Como testemunha da história, a artista representou o progresso econômico da cidade na tela *São Paulo*. Figuram ali o bonde, a ponte de ferro, a bomba de gasolina, o poste de luz elétrica, o cartaz com números em um edifício. Elementos do cenário da época. Nenhum trabalhador.

Em outra obra, *Operários*, estão rostos em forma de pirâmide que parecem nos dizer: olha, estamos aqui, somos nós que geramos esse progresso. Ao fundo, a fábrica com chaminé expelindo fumaça cinza. É possível reconhecer no quadro a diversidade humana, em virtude do fluxo migratório que compôs a classe trabalhadora paulistana. O olhar chama a atenção. O que querem expressar? Cansaço? Desesperança? Todos olhavam fixamente para a frente. Para mim? Estranho um não olhar para o outro. Nenhum contato visual. Não sorriem. Qual sonho? Senti falta de maior proximidade com as condições de trabalho daquele período, decidi pesquisar a respeito. Assim, poderia ter mais bases para interpretar a obra.

Lembrei-me do filme *Tempos modernos*, de Chaplin, que mostra os danos emocionais da atividade mecânica e repetitiva que um operário era obrigado a executar na fábrica. Modernidade?

Na verdade, era muita coisa para ver num só dia. Precisaria voltar para dar continuidade à minha observação. Cansada, sentei-me na lanchonete do andar. Pedi um café, o aroma já me reanimou. Desci para o vão do prédio. Havia um aglomerado de pessoas. Era uma manifestação. Fixei minha atenção nos rostos, procurava por ali a representação da pirâmide de Tarsila. Não eram só adultos, havia crianças. O que era aquilo? Fiquei curiosa. Li os manifestos distribuídos, ouvi discursos. Enfim, procurei me inteirar dos fatos. De repente, eu me senti na Grécia Antiga, encontrava-me na Ágora, espaço público onde os cidadãos se reuniam para debater temas importantes para a comunidade. Discutia-se ali o anúncio feito pelo governo federal do corte de verbas orçamentárias para a educação.

Naquele espaço de cidadania concentravam-se professores e alunos. Rostos diversos, o que expressavam? Claro, eu ainda estava sob a influência da tela que acabara de ver. O medo, talvez. Medo do futuro. Medo de não poderem realizar seus sonhos: estudar, obter conhecimentos propulsores de uma vida melhor. Medo de não encontrarem trabalho. Medo de, mesmo trabalhando a vida toda, não conseguirem garantir a aposentadoria na velhice. Medo esse que, diferentemente daquele expresso por Drummond, não esterilizava os abraços. Ao contrário, ali havia o entrelaçamento, a união. Que força era aquela que os tornava tão altivos? Pareciam caminhar com esperança, na crença de que unidos poderiam virar o jogo.

Carregavam cartazes, faixas. Ao som de tambores, cantavam em defesa da educação pública, gratuita e de qualidade.

Inquieta, busquei a expressão daquilo que acontecia naquela Ágora, da qual já me sentia participante. Precisei explorar minha caverna dos sonhos esquecidos. Então, projetei uma tela naquele espaço. Imensa. Branca. Luminosa. No centro, um ponto. Denso. Escuro. Pulsante.

O *big bang* começou assim.

FOLHAS, FLORES
E DORES

A árvore da esquina continua lá, com alguns galhos a menos e cercada na base por uma mureta de concreto — está claro, é indesejada —, mas ela não reconhece essa linguagem limitante, persiste em colorir-se com flores esparsas. Também não se importa de as pessoas ignorarem sua existência, pois cumpre sua missão sem culpa. Sabe que não dá para competir com a nova atração da esquina, uma *drugstore*, cópia de um modelo americano de consumo. É dessas farmácias que você entra para comprar um comprimido para dor de cabeça e acaba tendo de parcelar as compras no cartão de crédito, com sacolas de remédios, produtos de higiene e beleza.

Neste local havia um casarão antigo, com sacadas nas janelas e azaleias no jardim. Foi derrubado, deu lugar a um blocão de concreto e vidro, ocupado inicialmente por uma loja de calçados, e agora a tal farmácia sofisticada. Curioso é que, do outro lado da rua, há outra drogaria, quase do mesmo estilo. Foi essa curiosidade que me chamou a atenção para a proliferação de farmácias no bairro. É possível que tenha mais duas ou três por perto, não posso afirmar com precisão, mas me disponho a conferir; logo saberemos. Considerando que um empreendimento deste porte não pode ser realizado sem conhecimento do perfil do público-alvo, sem análise mercadológica criteriosa, pode-se dizer, *a priori*, que neste bairro as pessoas estão ou se consideram muito doentes.

Em um artigo recente, o doutor Dráuzio Varella tratou da questão dos doentes saudáveis, que fazem uso de medicação desnecessária, ressaltando o caso de pré-diabetes, nova classificação, que pode levar o indivíduo a consumir drogas, mesmo com possibilidade mínima de desenvolver a doença.

Nascida e criada em São Paulo, confesso que estou sempre a me surpreender nos tempos atuais. Tenho um suspiro e um susto engasgado; ora me sufocam, ora jorram espantos. Por vezes, também, gemidos surdos. Por incrível que pareça, sou de uma época em que as pessoas não eram doentias. Na velhice, a morte simplesmente acontecia no leito, em casa. Os problemas com a saúde, na maioria dos casos, eram resolvidos por algum *expert* local, com conhecimentos que eram repassados por membros da família. Ervas e orações serviam para sarampo, catapora, soluço, dor de barriga, lombriga, quebranto, até dor de amor, embora isso não fosse comum, porque era assim: olhou, gostou, namorou, casou. Afinal, constituir família era o ideal comum.

Havia uma farmácia aonde minha mãe me levava para tomar injeção contra gripe. Que pavor! Seu Toninho, o farmacêutico, até que era boa pessoa; foi ele que diagnosticou meu sarampo. Estava com mal-estar há dias, resolvi consultá-lo, lembro-me bem, ele me disse:

— Vá para casa, não saia no sereno. O sarampo vai estourar esta noite.

Rezei, pedi, implorei aos céus, nada adiantou, estourou, derrubando-me por quarenta dias, às vésperas do vestibular. O remédio? Chá de sabugueiro, cama e quarto escuro. Agora, com as vacinas, esses problemas foram superados, surgiram outros.

Tenho observado um número crescente de pessoas que, por algum motivo incerto, dormem mal. Ora o sono não vem, ora a pessoa acorda de madrugada e fica rolando na cama até o despertador tocar. Outro dia, encontrei uma amiga na saída de um laboratório de análises. Estava bastante preocupada, todos os resultados dos exames estavam dentro dos padrões de normalidade; parecia lamentar não ter encontrado alguma coisa que justificasse a insônia. Balançava a cabeça, inconformada:

— Nada de errado, tudo normal e não durmo. Pode isso?

Estava em uma excursão, o grupo parecia bem entrosado, então, na hora do lanche, logo após um bocejo, começou o assunto do sono. Algumas senhoras diziam não dormir sem remédio, o grupo se animou e começou a trocar receitas. Parece que existem no mercado inúmeros produtos: indutor de sono, melatonina, ansiolítico, antidepressivo. Como diz a sabedoria popular, toma-se remédio para uma coisa e se prejudica outra, então é preciso monitorar a saúde: consulta, exame, clínica, hospital; assim, a vida entra em um círculo nada aprazível, exceto para minha prima Jacinta, que adora falar de seus exames, sabe de cor os níveis de colesterol, de vitamina D, triglicérides. Na festa de seu aniversário, os parentes, reunidos na sala de visita, comentavam a notícia do pouso da sonda chinesa no lado oculto da lua. Jacinta, que acabara de entrar na sala, começou a contar que nesse dia sua pressão arterial foi a dezesseis em virtude dos problemas com o cachorro da vizinha. Aproveitou para comentar os índices de seu último exame de sangue, resultado: a conversa sobre a sonda foi para o espaço.

Outro dia, em um jantar da família, quando o pessoal estava se deliciando com o camarão na moranga, começou a descrever os preparativos para um exame do intestino, a tal colonoscopia. Tomada por um entusiasmo inesperado, sequer foi capaz de perceber o mal-estar que causava. Com dedo em riste, disse:

— Hoje todo mundo tem de fazer esse exame.

Aproveitou para contar o caso do marido da amiga que, por recusar-se a ir ao médico, acabou por morrer com metástase do câncer de próstata. Olhou bem os tios e primos à mesa:

— Não deixem de fazer esse exame todo ano. Um perigo, um perigo...

Para mim, o jeito de digerir a situação foi naufragar na tigela de sorvete de creme; esquecendo a taxa de colesterol e o peso na balança, inundando a mente com a mensagem: valeu a noite!

Na saída, Lucinda olhou para a árvore-da-china da calçada em frente, frondosa, colorida, exuberante, e não resistiu:

— Alguém pode se esconder atrás dessa árvore, algum ladrão, algum assassino, sabe lá o que pode acontecer, que perigo anda por aqui à noite! — apontando as flores amarelas no chão, completou: — Quanta sujeira! Só de olhar, sinto arrepio. O pólen me dá alergia. Esta cidade está um horror!

Ela talvez não precisasse se preocupar tanto, porque os homens da companhia de luz desenvolveram um método peculiar de acabar com as árvores da cidade. Por despreparo ou má-fé, cortam galhos de qualquer jeito, aleatoriamente, prejudicando o equilíbrio do tronco. Com as chuvas de verão, caíram centenas de árvores na cidade, em grande parte decorrente da má qualidade desse tipo de poda. Tudo contabilizado, nada resolvido. Nesse ritmo, Jacinta logo poderá dar adeus às suas preocupações e livrar-se da alergia.

 Será?

A CHAMA

Outro dia, li no jornal uma notícia que me deixou em desassossego. Não era recente, que importa? Aconteceu em um lugar ao qual costumo ir com frequência: o bairro da Liberdade. Conheço seus becos e quebradas, sei onde comprar produtos orientais: chá, porcelana, enfeite. Ajeito a coluna com o quiroprata da rua dos Estudantes. Tomo café com brigadeiro na esquina. Gosto de orquídeas, visito exposições no Bunka. Tenho amigos que tocam tambores japoneses — *taikô* —, assisto às apresentações na praça ou na sede da associação. Para confraternizar, costumamos ir a restaurantes tradicionais da rua Thomaz Gonzaga.

Recorri à memória para ver se conseguia me lembrar de ter visto por ali alguma coisa que fizesse referência aos fatos relatados no jornal. Com imagens dispersas na minha mente, não consegui atingir meu objetivo. Decidi comparecer ao local da barbárie.

Desci na estação Japão-Liberdade do metrô. Em uma vitrine, em frente às catracas, avistei um vaso azul-escuro com um arranjo de flores, *ikebana*, composto de pequenas orquídeas amarelas, entremeadas de ramos verdes e azaleias violetas. Na parede de um prédio à esquerda, destacava-se o grafite enorme de um samurai — olhos arregalados, boca aberta, trazia a assinatura de Bliss Walls. No centro da praça, um elefante de cerâmica branca carregava a estátua de Buda, monges celebravam a festa das flores. Tudo bem diferente do que acontecia tempos atrás — havia uma forca, onde exatamente? Procuro por vestígios da história, encontro apenas um lugar de oração: a capela de Santa Cruz das Almas dos Enforcados.

A atual praça da Liberdade era conhecida como o largo da Forca, palco de torturas e assassinatos. Ali eram executados escravos fugitivos e outros considerados criminosos. Seus nomes? Seus algozes? Seus crimes?

Dizem que em noites mais sombrias, na praça, é possível ouvir lamentos, por vezes acompanhados de vultos.

A notícia que me abalou ocorreu neste local, em 20 de setembro de 1821. Conta-se que, na véspera, os moradores começaram a se preparar para o espetáculo de enforcamento em praça pública. Sim, era para ser assistido por todos — que servisse de exemplo e provocasse temor.

Os que vinham de mais distante colocavam, em trouxas de panos amarrados, quitutes, biscoitos e balas para as crianças. A expectativa era grande, afinal, tratava-se de dois revoltosos de uma insurreição militar, ocorrida em Santos; condenados à morte, a execução da pena seria aqui. Com tudo organizado conforme os costumes e a agenda oficial, a preparação do cenário era acompanhada por olhares ávidos. O primeiro a morrer estrangulado foi Cotindiba. Quanto ao outro, seu estado de presença surpreendia a todos, não demonstrava medo algum, pelo contrário, seu semblante era sereno e apresentava certo ar de altivez. Quando a corda em seu pescoço arrebentou, o que ecoou foi um sonoro "óóó". Espanto geral. Após a segunda tentativa falhar, o público não se conteve, começaram os gritos: liberdade, liberdade, liberdade! A postura destemida do condenado firmou a convicção de sua inocência. O fato de cordas arrebentarem foi tido como o milagre só concedido aos justos, era o que todos murmuravam entre si. A comoção foi tão grande que alguns se juntaram para pedir às autoridades competentes clemência para o moço, em vão. Seus algozes de há muito não davam sinais de humanidade, compelidos a sempre cumprir ordens, sem reflexões nem questionamentos. Ante a perplexidade geral, acabou sendo torturado até a morte, para consternação dos presentes. O corpo foi levado para a capela dos Aflitos. Seu nome ficou registrado na história: Francisco José das Chagas, mais conhecido por Chaguinhas. Relatos do milagre bateram de porta em porta, até que moradores decidiram pela encomenda de uma cruz de madeira que, erigida no local, tornou-se a Santa Cruz do Enforcado. Em sua volta, velas acessas.

Dizem que, em dias ensolarados, é possível reconhecer impressões do ocorrido, por vezes, acompanhadas de gritos por liberdade.

Há quanto tempo esse clamor ecoa na história? Por vezes, inspira artistas. *Liberdade, liberdade* era o título de uma peça teatral de Flávio Rangel e Millôr Fernandes, lembro-me bem dela. Foi marcante em 1965, época da ditadura militar. Na montagem, expressões diversas sobre o tema se entrelaçavam: Sócrates, Platão, Castro Alves, Shakespeare, Drummond, entre outros.

— Neste momento é dever do artista protestar — disse Flávio Rangel, o diretor da peça.

O público acompanhava o elenco, cantando versos da "Marcha da Quarta Feira de Cinzas", de Carlos Lyra e Vinicius de Moraes: "E, no entanto, é preciso cantar…". No ano seguinte, a censura federal proibiu sua apresentação em todo o território nacional.

Dizem que, em palcos insuspeitos, ainda hoje é possível ouvir o coro: "Mais que nunca é preciso cantar…".

Na porta da capela das Almas a mãe de santo jogava búzios. Tive vontade de fazer uma consulta a respeito dessas sombras do passado, que percebo ressurgirem em outros formatos no momento atual: trabalho escravo, autoritarismo, assassinatos de negros e pobres. Vacilei, outra pessoa sentou-se à sua frente.

Dentro da capela há um lugar apropriado para se acender velas. Comprei uma lamparina. Com a ponta da caneta, escrevi nela o nome completo de Chaguinhas. Ao acender o pavio, o primeiro fósforo apagou, o segundo também. Na terceira tentativa, saíram faíscas, a chama cresceu; na base era azul e na ponta avermelhada; começou a tremular, em seguida aquietou-se, ficou ardendo, fraquinha.

— Vai brilhar três dias — garantiu a vendedora.

Custou três reais e cinquenta centavos.

ONDE ERA MESMO QUE EU ESTAVA?

Qual a tribo? Foi o que pensei ao ver um agrupamento de jovens dançando no vão livre do Centro Cultural São Paulo, naquele final de tarde. E se algum deles dirigisse essa pergunta a mim, teria resposta? Adentrar em si mesmo pode significar a abertura de um portal inglório. Preferi tentar compreender o meu entorno.

Lembrei-me do sociólogo francês Michel Maffesoli, que, ao analisar o novo tipo de organização social na pós-modernidade, trouxe o conceito de mundo tribal, em que pertencer a uma tribo torna-se condição de existência. A aproximação dos indivíduos se dá entre aqueles que pensam e sentem de forma semelhante. Os que estão dentro decidem quem pode entrar e os que devem ser excluídos. Refletindo a respeito dessa análise, ocorreram-me indagações: com tantos retalhos sociais, como estabelecer a tapeçaria da convivência? Quais os fios de conexão?

Voltando ao Centro Cultural, por certo grau de ousadia que imponho a mim mesma, me vi tentada a um desafio: penetrar em um desses espaços de jovens. Gostaria de saber qual a recepção. Seria considerada a tia mais velha, que poderia trazer algum lance de sabedoria? Ou ouviria algo do tipo "Aqui é 'nóis', senhora, cai fora!". A escolha dependia da minha habilidade em decifrar os códigos que estavam à minha frente, ou seja, outro desafio, distinguir as diferenças entre os presentes.

Embora não houvesse nenhuma marca no espaço físico, percebi que cada grupo estava em seu quadrado, movimentando-se em espaço delimitado, ao som de uma caixinha instalada no piso. Em uma roda, o rapaz de bermuda e camiseta larga mexia os braços e as mãos de maneira rápida, em descompasso com quadris e pernas, enquanto outros do grupo assistiam ou esperavam a vez. Os movimentos amplos e exagerados eram sincronizados com a música. No espaço ao lado, em outro ritmo, jovens pareciam imitar robôs, com músculos em contração e expansão. Em outro canto, a dança de um dos participantes era acompanhada pelos demais. Seus pés pareciam riscar o chão, em seguida as pernas se abriam como se estivesse cortando algo no ar, imitando uma tesoura. Seguiam uma coreografia do *street dance*, identifiquei depois. Próximo a este grupo, estava o casal dançando *tango*; a moça, de salto alto e vestido vermelho ajustado ao corpo, insinuava-se na dança de sedução ao parceiro, um rapaz forte, de roupa preta. Perto da coluna, quatro moças ensaiavam uma performance diante da divisória de vidro que servia de espelho. Atrás do vidro, a roda de capoeira, com a ginga de dois rapazes no centro, traçando movimentos de defesa e ataque. Configurava-se o jogo da zebra, no qual a imitação do animal produzia marradas e coices, segundo a história que contava mestre Pastinha, o capoeirista.

Onde eu estava mesmo?

Os ponteiros giraram no sentido anti-horário e me vi onde nunca mais gostaria de estar. Minha juventude passei em tempos sombrios, no qual uma simples palavra podia ser crime; um gesto mal interpretado levaria à morte. Espiões se infiltravam nas escolas, agremiações, andavam por toda parte, até mesmo em festas. Acontecia de militares cercarem grupos de estudantes em festas; a música era interrompida, todos revistados como criminosos, alguns presos. Um tempo, como dizia Chico Buarque, "minha gente hoje anda falando de lado e olhando pro chão...". Com a mesma idade daqueles rapazes, um estudante de Geologia foi torturado até a morte em março de 1973. Sabe-se que pouco antes de morrer teve tempo de gritar: "Meu nome é Alexandre Vannucchi Leme, estudo na USP, e só disse meu nome". A missa em sua memória foi celebrada na catedral da Sé, pelo cardeal Paulo Evaristo Arns, e ouviu-se lá o canto de Sérgio Ricardo: "Cala a boca, moço...".

Onde eu estava mesmo?

Reconheci naquele centro de cultura uma oca urbana. Cada tribo compartilhava o mesmo espaço, com um interesse comum: a expressão artística. Fora do círculo, o caos da cidade grande, pessoas apressadas, trânsito engarrafado, condução lotada e o temporal que alagava tudo. Lá fora, violência, desemprego, miséria. Ali dentro, temporariamente, o medo estava suspenso.

Sem conseguir reconhecer minha identidade, nem distinguir o papel de cada grupo, mesmo assim resolvi entrar na oca — assistir ao show do grupo Bixiga 70. A energia vibrante dos instrumentos musicais de sopro, percussão e corda fez o público se levantar. Acompanhavam o ritmo com batidas dos pés, remeximento dos quadris, sacolejo de corpo. Como ficar imóvel? Entrei no cordão que percorria o palco em trenzinho, o dedo indicador em movimento apontava para o vasto vão da vida, enquanto cantávamos: ôô, ô, ôô, ô.

Entrei em que tribo mesmo?

A GIRA

As janelas da cidade, onde estão? Estender o olhar através delas é o desafio. Nesta terra de desassossego, prédios cada vez mais agigantados se concentram, espremem perspectivas e paisagens, e nós andamos a passos largos. Em modo acelerado, as mudanças no âmago da aldeia nos surpreendem. "Ah, aconteceu, foi mesmo?". Sem notar diferenças, seguimos na crença de que o velho banco da praça está à nossa espera; que o cinema de ontem ainda passa o filme atual; que naquela loja será encontrado o enfeite da casa e que o vendedor de cocada está logo ali na esquina.

As novidades atropelam o imaginário: sabe aquele cinema da avenida? Virou igreja evangélica; a loja de tecidos, outra igreja; a do armarinho, dizem que também. Pelas ruas e avenidas do bairro vão se concentrando centros religiosos de diferentes denominações.

A análise desse processo de transformação enseja teses em diversas áreas do conhecimento. Quanto a mim, recorro à narrativa poética: em meio à floresta de cimento e cal, ventos do norte semeiam plantas exóticas. Variedade e coloração, incontáveis. Ao lado do jardim transportado, ainda resistem espécies da terra, enraizadas na cultura popular. Nada de ostentação — um simples terreiro de chão batido, uma pequena sala, um espaço qualquer — sem placa nem luminoso. Por uma questão de sorte ou de destino, certo dia, uma janela se abre, apontando para a raiz do nosso quintal. Foi o que aconteceu comigo. Sob o refletor de encontros fortuitos, acabei adentrando num espaço de tradição ancestral. O convite que faço agora é que me acompanhe nessa trajetória de cenários conectados.

A cigana

Na estação de metrô: breve encontro. Cruzamos olhares, apenas. Seu corpo avantajado ondulava panos da saia longa. Era uma cigana, sem dúvida. Reconhecia esse jeito de estar no mundo. Quando crianças, nos escondíamos ao passarem em bando pela rua.

— Os ciganos estão chegando! — alertavam.

Sensações ambivalentes: temor e curiosidade. Das frestas da janela, observava o cortejo deles. Já nessa época prestava atenção àquilo que me parecia peculiar: vestimentas e modo de andar. Suas músicas, danças e costumes fui acessando no decorrer do tempo. Ao me deparar com facetas inusitadas da vida, consultei uma cigana da praça da República. Nas linhas entrecortadas da mão, o destino:

— Turbulências — disse ela.

Sem entender a vastidão de tal afirmativa, segui adiante.

A revelação

Na sala de jantar, mesa posta com vaso de flores no centro: encontro com a amiga de infância. Do relato sobre a impressão deixada pela cigana do metrô, surgiram lembranças: o nosso truque diante do espelho para imitarmos, com trapos arranjados do baú, aquelas mulheres tão fantasiosas. De repente, a constatação: raridade ver ciganos nesta cidade. Onde vivem? Por alguma conexão mágica, a amiga, rindo, me revelou que poderia encontrá-los de outra forma: no centro umbandista que frequentava. A última gira do ano seria a de ciganos. A umbanda, contou-me, entrara em sua vida pela dor, em virtude de problemas com o irmão mais velho. Há alguns anos, costuma anotar as instruções dos médiuns durante as consultas pessoais. O que lhe atraía era o fato de ser uma religião brasileira, agregadora de elementos de cultura europeia, africana e indígena. Percebendo minha curiosidade, trouxe um livro da história da umbanda e, folheando as páginas, foi esclarecendo algumas de minhas dúvidas. Surgira no início do século XX, de modo surpreendente: um rapaz, gravemente enfermo, apresentou melhoras sem motivos aparentes. Na dúvida quanto ao seu estado de saúde, a família decidiu levá-lo a uma sessão espírita. Logo no início dos trabalhos, o comportamento do moço causou certa estranheza: saiu de seu assento à mesa, foi até o jardim e de lá trouxe uma flor.

— O ambiente precisa estar florido — justificara.

Ficou também incomodado pelo fato de os médiuns impedirem a incorporação de pessoas de origem humilde. Foi quando o moço, Zélio Fernandino de Moraes, incorporou ali mesmo, pela primeira vez, o Caboclo das Sete Encruzilhadas, que anunciou nova forma de trabalho espiritual: não discriminatória. Teria um espaço onde espíritos do povo da terra pudessem se manifestar, amparando todos os necessitados, sem distinção de raça, cor ou condição social. A partir daí, Zélio adaptou a própria casa, no Rio de Janeiro, para ser a primeira tenda de umbanda, sob a orientação do Caboclo. Ali, espíritos de pretos velhos ou caboclos seriam sempre bem recebidos. A nova religião ramificou-se pelo país. Ultrapassando barreiras, navegou por ondas oscilantes; ao refluxo atual finca resistência. Por fim, abrindo uma página marcada do livro, leu a definição do teólogo cristão Leonardo Boff: "A umbanda é uma religião profundamente ecológica. Devolve ao ser humano o sentido da reverência em face das energias cósmicas".

O ritual

No salão do centro de umbanda encontro-me com o guia espiritual. O altar é repleto de imagens, flores e velas. Pessoas de branco. Cantos. Som de atabaques.

— Olorum é nosso pai! Salve!

A evocação de orixás — Xangô, Ogum, Oxum, Oxalá — precedia a abertura da gira de ciganos, que se realizava com Deus e Nossa Senhora, de acordo com o cântico entoado.

A claridade da rua iluminava a imagem de Jesus, no topo do altar. A senhora com saia rodada começava sua dança simbólica ao som de palmas contínuas. Em dado momento, prostrou-se aos pés do altar. Silêncio. Ao levantar-se, dirigiu-se a cada um da roda, orientando os trabalhos. Todos saudaram com palmas:

— Salve, ciganos!

Outro tipo de música passou a ecoar pelo salão: rumba flamenca.

Ao tentar distinguir entre os presentes algum conhecido do bairro, notei a diversidade do público que aguardava o atendimento: o casal com filhos pequenos, a jovem com enfeite nos cabelos, a japonesa idosa, o senhor de bengala, todos ouvíamos a apresentação da sacerdotisa. Em resposta à pergunta de quem estaria lá pela primeira vez, somente um braço se levantou: o meu. Esclareceu que naquele espaço o trabalho era voluntário e não se cobrava nada pelo atendimento.

— Umbanda é a prática da caridade — afirmou.

Era hora de agradecer por tudo que houvesse acontecido durante o ano, pela oportunidade de aprendizado e esclarecimento; de reforçar pedidos de paz, trabalho, alegria e força. Terminou sua fala desejando axé a todos.

Com a defumação, o ambiente ficou enevoado; percebi que as janelas se mantinham fechadas. No pote com brasas queimavam-se erva da jurema, alecrim, alfazema, arruda e guiné; era o que sinalizava o canto acompanhado com palmas.

Na entrada, cada um recebera uma ficha numerada. Na minha vez, um atendente me conduziu até o médium, que incorporara um cigano — meu guia —; perguntou se podia me dar um passe; ao consentir, fez a imposição das mãos junto a mim, senti como se um feixe de luz fizesse uma varredura em todo o meu corpo; tamanha vibração: estremeci. Ao final, me deu uma maçã.

— Para comer em casa fazendo seus pedidos — disse.

Epílogo

Na mesa da cozinha, a maçã no prato de porcelana branco. Uma maçã é uma maçã, sei disso há décadas, mas aquela seria o quê? Tento decifrá-la. Sua superfície acolhe minhas mãos, enquanto os dedos deslizam em busca de reentrâncias, sulcos, ou qualquer coisa que pudesse distingui-la de alguma outra já conhecida. Sua coloração não é uniforme; junto ao cabo, esverdeada com retoques de vermelho que se condensam na base. Ao seu redor, respingos de algo que a deixam com pontos luminosos. Em que se diferencia das demais? Concluo não ter condições de resposta precisa: pela primeira vez na vida, a experiência da contemplação, antes de a fruta se tornar alimento. Exala aroma da infância: bênção da mãe, cheiro de terra, canto do galo, ah, o circo...

Agora, diante de mim, a oportunidade única: o reencontro com a vida que se saboreava em cores, ventos, abraços, cantigas. Fartara-me, reconheço, do sabor do desencontro, da ausência, da indisponibilidade. Onde está o novo horizonte? Nos pedaços da maçã saboreio nuances oníricas.

Tão doce!

O ESTRANGEIRO

O novo restaurante chamou minha atenção, queria conhecer a novidade. Próximo à avenida Paulista, colocava-me ante um desafio: o de enfrentar o metrô Consolação no final da tarde. Prefiro transitar por lugares calmos e tranquilos; ali, não se sabe de onde nem como emergem tantas pessoas. É um lugar comum, mas acredito que não há expressão melhor para designar o que lá se passa: formigueiro humano. De uma coisa tinha certeza: com tantas opções pela área — bares, lojas, restaurantes, cinemas —, essa multidão se dispersaria pelo caminho e eu poderia continuar minha jornada solitária, ou quase isso.

Na rua estreita e pouco movimentada, avistava-se um conjunto de sobrados geminados, um deles com a porta aberta. Nenhum letreiro, apenas a pequena lousa preta na entrada, com o nome do restaurante em giz branco. Fui recebida pelo dono como uma visita, tipo aquela pela qual se espera ansiosamente, como a madrinha que chega no Natal com presentes. Era um rapaz alto, bem magro, de barbicha esparsa, que se ajeitava com nossa língua, embora estivesse no país há pouco tempo, pois era do Vietnã.

Conhecedor da culinária de sua terra, resolvera abrir seu pequeno negócio com o sócio argentino.

Junto à cozinha, a sala com duas mesas pequenas e um sofá. Indicou-me uma delas e sentou-se à minha frente. Para explicar o cardápio do dia, apontou para uma tabuleta em cima do armário, onde estavam escritas as opções, entre elas, uma sopa, lia-se "pho", mas ele pronunciava "fô". Fiquei soletrando com ele até aprender a pronúncia certa. A sopa era de macarrão de arroz no caldo de carne com temperos; quando perguntei quais seriam, ele não teve dúvida, trouxe-me os produtos embalados em sacos plásticos: funcho, canela em pau, anis-estrelado e cardamomo. Pedi também um rolinho de legumes em folha de arroz. A refeição era preparada na hora, portanto, sujeita à espera, explicou ele.

A música ambiente me trouxe à memória o cabelo esvoaçante da amiga que se balançava, e, em trejeitos e suspiros, imitava os jovens da banda The Smiths. Sim, dizia que pareciam cantar só para ela, tamanha a identificação com a composição — "Heaven knows I'm miserable now". O último cartão-postal que recebi dela era da Índia, estava em peregrinação, sumiu.

Na parede ao meu lado havia algumas fotos com aspectos da vida cotidiana vietnamita, pessoas em bicicletas, com flores, em plantações de arroz. Essas imagens eram bem diferentes das que eu via nos jornais durante a guerra do Vietnã: explosões, assassinatos, corpos queimados, aldeias incendiadas. Eu era jovem, talvez não entendesse muito bem os interesses envolvidos, mesmo assim, considerava que os norte-americanos não podiam invadir o país e cometer tantas atrocidades.

Ao assistir ao documentário *Corações e mentes*, na década de 1970, firmei mais ainda minhas posições contra a guerra. O diretor trouxe a público cenas da violência praticada contra o povo local e depoimentos dos envolvidos no conflito. Um soldado norte-americano descrevia como era "emocionante" ver bombas explodirem. Para justificar o massacre, autoridades explicavam que os vietnamitas eram "selvagens" e que "não davam valor à vida como os ocidentais". Em contraponto, cenas de desespero dos que tinham suas aldeias incendiadas e parentes mortos.

Quando soube que o líder da luta pela independência do país, Ho Chi Minh, era poeta, fiquei intrigada, imaginando como ele poderia conciliar poesia com as estratégias de guerra. Cheguei a comprar um livro dele. Até há pouco tempo, sabia de cor um de seus poemas, falava do reflexo das flores das montanhas no tinteiro, dos pássaros da floresta. Ah, como era mesmo?

A entrada de um casal na sala interrompeu minha reflexão. A moça tinha cabelos longos, em tranças finas que caíam pelos ombros. Por cima da blusa preta decotada usava uma jaqueta colorida com estampa geométrica. Anéis e pulseiras destacavam-se em seus gestos. Ele era bem alto, magro, um tanto curvado, estava com uma bata verde e calça xadrez. Conversavam em inglês, demonstravam estar apaixonados. Por acaso, a nova música parecia dialogar com eles, mesmo que não reconhecessem a língua, era castelhano. A voz suave da cantora dizia não existir nada neste mundo sem o seu amado, necessitava dele, pedia seu amor. O romantismo não fazia parte do cardápio e preferi dispensá-lo para não embarcar na canoa furada de lembranças indecifráveis.

Finalmente, o cozinheiro trouxe a comida e explicou o procedimento: a sopa ainda estava incompleta. Havia temperos: coentro, hortelã, salsinha e molhos para serem usados de acordo com meu paladar. O rolinho também era saboreado com uma pasta específica. O cheiro, o sabor, a textura do rolinho, tão fininho, tão delicado... Ah, poderia me sentir naquela terra distante, não fosse o canto de Jorge Ben Jor a lembrar-me de que moro num país tropical e, segundo ele, abençoado por Deus.

Na saída, me mostrou outra sala com uma vitrola no canto e me disse que da próxima vez poderia sentar lá e escolher as músicas de minha preferência, pois tinha diversos discos de vinil. Na verdade, o que eu gostaria mesmo era de ouvir sua história, saber de sua aldeia, de seu povo, como haviam sobrevivido à guerra, tinha inúmeras perguntas a fazer. Uma rajada de vento trouxe folhas secas para o corredor, então, perguntei:

— Será que vai chover?

O CORTEJO

Um cortejo festivo no centro da cidade era, sem dúvida, uma proposta nada banal, bem convidativa. Por aquelas ruas costumam circular homens sisudos, que entram e saem de repartições, bancos, escritórios. Funciona por ali também a Bolsa de Valores, lugar onde sentinelas ávidas de ganhos vigiam cada pregão. Participar da mudança desse cenário, junto a pessoas descontraídas, em um ambiente de diversão, era uma oportunidade que não poderia ser desprezada.

No feriado de 25 de janeiro, desço na estação Sé do metrô e caminho em direção ao Pátio do Colégio, onde se iniciaria "O Grande Cortejo Modernista", organizado pelas autoridades municipais em comemoração ao aniversário da cidade — 466 anos. Vou ao encontro do grupo que se abrigara do sol, próximo à porta do Museu Anchieta. Eis que surge Mário de Andrade, passa por mim, acena com um buquê de flores coloridas, esbanja sorrisos. Pudera, está de volta à cidade tão significativa para ele. De terno branco e chapéu, elegante como ele sempre fora, o ator desempenha seu papel com tamanha desenvoltura que chego a me emocionar. Lembro-me que, em *Lira paulistana*, Mário deixou seu testamento poético para que, após a morte (não sabia que seria imortal), partes de seu corpo fossem sepultadas em diferentes locais da Pauliceia desvairada, segundo ele. E, não é que coube ao coração ficar no local do evento — onde exatamente? Procuro ao redor por alguma sinalização daquele pulsar. No centro da praça há um grande pedestal de granito apoiando a escultura em bronze de uma mulher, em suas mãos: tocha, flores e foice. Na base estão retratadas cenas da colonização, alguns indígenas seguram pedaços de ossos humanos. Fiquei intrigada com tal representação: estaria ali uma visão preconceituosa? Sem condições de maior análise naquele momento, achei mais prudente descartar a possibilidade de o coração estar enterrado próximo àquela cena.

Do lado esquerdo do museu, encontra-se o Marco da Paz. Em formato de arco, sustenta sino e pomba. Enquanto examino o entorno surge a dúvida: aquele espírito irrequieto e curioso poderia se conter em espaços abafados? Direciono o olhar para o alto, nuvens esfiapadas sugerem possível traçado: o coração acima do monumento de vinte e quatro metros, orbitando em forma de elipse a figura feminina. Com vista panorâmica, acompanharia os festejos, captando detalhes imperceptíveis ao público ali aglomerado, o que era de seu feitio: enxergar a vastidão do mundo por frestas espaciais.

Acompanhado por bailarinas e palhaços, Mário sobe ao palco e relembra:

— E daí fomos procurar o Brasil no norte. Nenhum de nós o encontrou, então inventamos este país, como deveria ser. Era esta a inspiração.

Em tempos atuais, dá para reinventar o país? Na minha imaginação despontavam cenas apocalípticas, quando felizmente chegaram os indígenas para a sequência da programação. Apresenta-se no palco o coral Guarani Amba Vera, formado por jovens e crianças indígenas. A senhora ao lado, ajeitando os óculos, comenta com a amiga:

— São de verdade? Sei não, parecem bolivianos.

Os guaranis, como outros povos desta terra, foram praticamente dizimados; alguns grupos sobrevivem em pequenos redutos na periferia. Os integrantes do coral são da aldeia indígena Tenondé Porã, localizada em Parelheiros. Em movimento de resistência cultural, trazem em seus cantos e danças as tradições da etnia guarani mbya. Ao final da apresentação, estendem uma grande faixa: "Parem de nos matar!".

Expressões da cultura popular do país poderiam ter sido apagadas, não fosse o trabalho de pesquisa e registro musical de Mário de Andrade. Foi responsável também pela criação, em 1936, do Coral Paulistano, presente naquela manhã para compor a celebração. Fiquei imaginando como reagiria o coração eclipsado ao constatar a atualidade daquele projeto. Com certeza, estaria mais pulsante pela extensão de cultura a um público que, talvez, jamais pudesse frequentar salas de concertos.

O sol a pino projeta contrastes luminosos no palco, o suor escorre pelas faces dos cantores. Na plateia, alguns improvisam chapéus com folhetos do evento. Apesar do calor incômodo, todos permanecem no embalo de canções que trazem memórias recônditas. Durante o canto de candomblé da Bahia, duas senhoras trocam confidências:

— Morreu, coitado, há oito anos e meio. Ai, tanta saudade...

De repente, ouvem-se alguns gritos no outro lado da praça. Era Elba Ramalho, subindo no caminhão de som. O Cortejo segue pela rua Boa Vista, com Elba e o grupo Bixiga 70. Ela, de vestido amarelo radiante, empolga a multidão, anunciando que já escuta os sinais. Em meio a tantos desconhecidos, tento alguma proximidade com os que estão ao meu redor, algum aceno ou gesto. O bebê de chupeta, no colo da mãe, percebe minha intenção e estende os bracinhos, esboçando seu sorriso inocente. A jovem de vestido curto rodado passa entre nós, corta a cena. O painel do lado esquerdo da rua chama minha atenção, números sendo alterados ininterruptamente no Impostômetro da Associação Comercial de São Paulo, que registra a arrecadação tributária do país. Surpreendo-me com o montante. Qual o significado disso? Tento refletir, mas sou lançada em outra esfera com a nova música da Elba: "E esse aperto no fundo do peito"... O Cortejo passa em frente ao antigo banco da família Paes de Almeida. Faíscam lembranças de meu primeiro emprego, em uma época da qual, talvez, a maioria deste público só tenha conhecimento por meio de livros. Aquele bebê dos bracinhos estendidos pode ser que nem a isso tenha acesso quando adulto, tamanho grau de manipulação de conteúdo histórico a que estamos a assistir. A fachada do prédio continua igual, então, na janela do terceiro andar, surge a cronista quando jovem, olhando assustada a repressão policial à passeata de estudantes em 1968. Atira um punhado de papéis picados na rua; era sua forma aprisionada de protestar contra aquela violência. Mal sabia ela que, no ano seguinte, a repressão seria mais brutal. Este Cortejo seria impensável naquele tempo sombrio. Adivinhando que eu descambaria para a tristeza e a nostalgia, Elba conclama a alegria, onde a explosão era de amor. Agradeci, era hora de vivenciar aquela trincheira alegre:

— Vai, Corinthians, campeão! — grita o rapaz rodopiando a namorada.

À minha direita, segue a jovem levando a criança no carrinho, seu vestido decotado mostra a tatuagem de um dragão em suas costas, a cauda se prolonga abaixo da cintura, até onde vai? Deixa para lá.

Na sacada do edifício Sampaio Moreira, na rua Líbero Badaró, surgem Mário e Anita Malfatti. Ela lembra sua exposição neste prédio em 1917. Havia sido polêmica e muito criticada. O escritor Monteiro Lobato aproveitou para se posicionar contra o modernismo em um artigo veiculado na grande imprensa. Quanto à exposição, embora ele reconhecesse originalidade nas obras e as qualidades artísticas de Anita, considerou que a opção dela pelo modernismo colocava seu "talento a serviço de nova espécie de caricatura". Ante a celeuma, compradores devolveram obras e outras foram destruídas por vândalos. Naquele festejo, ela não relembraria desgostos; ao contrário, aproveitaria para provocar Mário:

— Você não deixa sua tristeza ser vista. Macunaíma é um disfarce.

Nuances tristes, caso houvesse, logo seriam dissipadas pela apresentação do conjunto Demônios da Garoa: "E além disso, mulher, tem outra coisa...". Eram músicas memoráveis contagiando a todos. A moça de saia apertada, com uma coruja na perna, é só remelexo; como consegue isso? De repente, uma correria por causa de briga no meio da multidão. O embalo não se perde, minutos depois a música prossegue; afinal, a festa ainda estava só no começo, estenderia-se pela noite.

Logo notei por ali outro dançarino autêntico — o senhor de calças brancas, camisa estampada e sapatos lustrosos mostra seu profissionalismo; um fotógrafo com lente teleobjetiva tenta capturar sua imagem, ele simplesmente ignora aquela câmera invasiva, afinal, não podia perder o passo. O samba sempre fala mais alto.

Na praça do Patriarca, um guindaste enorme ergue músicos para tocarem nas alturas. Aos primeiros acordes, pássaros assustados fogem das árvores, voam até o alto do prédio da prefeitura, passam diante da grande faixa ali exposta: "A poesia é a descoberta das coisas que nunca vi". E seguem em direção ao vale do Anhangabaú: o vale do rio oculto por concreto, por onde se movimenta o trânsito da cidade; morada subtraída dos povos nativos. No lugar da antiga mata, prédios agigantados; sinto-me convocada a exercitar a imaginação.

No alto do viaduto do Chá, os pássaros começam a voar no sentido anti-horário, descortinam o palco da história e nele surgem Amyipaguana, NN Tibiriçá e seus filhos Caiubi, Piquerobi, Araraí, Tibiriçá, indígenas antigos da terra. Em meio a cantos e danças, tratam logo de esclarecer:

— O ano da inauguração do Colégio de São Paulo de Piratininga foi 1554, nós já ocupávamos tudo isso aqui desde tempos remotos.

De maneira pausada, em alto e bom som, revelam a história oculta da dominação estrangeira.

Mário de Andrade, ainda no Cortejo, diante da descoberta das coisas nunca vistas, compôs novos versos.

Surgiu, então, o poema que a cidade espera há 466 anos.

O TRIÂNGULO CENTRAL

Na praça João Mendes, uma pequena igreja chama atenção. Simples. Luminosa. Acanhada. Seus pilares do século XVIII passaram por algumas transformações. Por lá, jesuítas trabalham há muito tempo na catequese de japoneses e seus descendentes. Em 1966, a antiga igreja de São Gonçalo passou também a ser sede da paróquia pessoal nipo-brasileira de São Gonçalo. Numa manhã de quarta-feira, fui até lá para assistir à missa de bênção da água e sal.

— Vamos celebrar! Vamos celebrar! — exortava a mulher no altar da paróquia.

O silêncio era entrecortado pela entrada de fiéis. A senhora de cabelos brancos tirou da sacola um punhado de fotos. Outras pessoas seguravam garrafinhas de água. No banco, a jovem embalava uma criança no colo. Amparado na muleta, o homem alto e forte chegou arrastando uma das pernas. A certa altura da missa, o padre indagou aos presentes:

— Do que você precisa? Cura física ou espiritual? Qual o seu problema?

Semblantes compenetrados reviam esperanças. Próximo ao altar, havia um cesto de intenções, onde cada um podia registrar sua necessidade: saúde, harmonia no lar, emprego, as dificuldades da vida. Bênçãos, cantos e orações. Entre elas, a da cura interior, entoada em voz alta por todos. Era chegada a hora do arrependimento pelos pecados, hora de pedir perdão e de perdoar, hora de renunciar a Satanás, aos espíritos malignos e a todas as suas obras, e pedir a cura física e espiritual. Imagens, água e outros objetos ficaram expostos para serem abençoados. Encontrava-me despreparada, procurei em minha bolsa algo importante para mim naquele momento: meu bloco de anotações e a caneta azul. Também os elevei para a bênção. No ritual, o padre evocava formas imperativas para afastar ciladas do demônio e retirar ilusões, malefícios e espíritos impuros, dando lugar à saúde da alma e do corpo.

No término da missa, o convite era para que as pessoas se dirigissem ao salão anexo, para a cura individual.

Formou-se uma fila junto a uma porta à esquerda do altar. Deveria eu seguir o grupo? A minha dúvida se dissipou quando vi o senhor de muleta passar com ar confiante e animado. Segui ao seu lado para compor o círculo de orações. Uma voz poderosa ecoava pelo salão: era de uma mulher com um pano colorido na cabeça; seguia junto ao padre, puxando a reza que todos acompanhávamos — "Ave Maria, cheia de graça, o Senhor é convosco...". O padre se dirigia a cada um dos presentes, aspergindo água benta com um ramo de alecrim. Em seguida, colocava as mãos na cabeça da pessoa à sua frente, orando. A senhora ao meu lado tombou no chão de forma serena, o padre ficou junto dela por algum tempo. Seria eu a próxima a cair? Daquela vez, não.

Tudo aquilo acontecendo naquela praça tão movimentada! Lá fora, a correria de sempre, um entra e sai do Fórum, a urgência em resolver conflito, litígio, separação. E por que o motorista do carro preto buzinava tanto? De repente, uma freada. Na faixa de pedestres, um homem derrubou a sacola da moça, passou rápido, não parou para ajudá-la a recolher os embrulhos no chão, sequer pediu desculpas. Recolhidos em cobertores, mendigos se ajeitavam na calçada, quem sabe recebessem alguma moeda, ou mesmo restos de qualquer coisa que pudessem comer. Como matar essa fome? Paradas na esquina, mulheres de roupas apertadas, peitos e coxas à mostra, esperavam clientes. Um senhor com a barba por fazer, de andar trôpego, aproximou-se da moça de vermelho, saíram caminhando juntos; com sorte, ela receberia naquela manhã algum trocado. Na rua, as aflições eram de outra ordem.

Reconheci que também eu estava aflita, pois, acabara de conhecer, na igreja, a história de São Gonçalo. Era indiano, com apenas quinze anos de idade partiu para o Japão com um grupo de jesuítas. Alguns anos depois, ao entrar para a Ordem Franciscana, retornou ao país para dar continuidade à sua missão: propagar o cristianismo, convertendo a população nativa. Em 1597, foi crucificado em Nagasaki junto com outros missionários e cristãos, ao todo vinte e seis pessoas que trabalhavam na evangelização de japoneses.

Ao ler o folheto a respeito de sua vida, faiscaram cenas de um filme que assistira recentemente: *Silêncio*, do diretor Scorsese. Cenas de perseguição, martírio, crucificação que me transportaram ao abismo de onde ecoavam palavras esparsas: apostatar, medo, fé, tortura, morte. Lembrei-me de que na ocasião me pus a indagar: aconteceu mesmo? Como distinguir ficção de realidade?

Minha dúvida tinha razão para existir. Quando criança, costumava frequentar as matinês de domingo. Nos filmes norte-americanos, os indígenas eram atacados pelos soldados, pelos quais torcíamos. Naquela representação do bem contra o mal, os nativos acabavam mortos, sendo os "heróis" aplaudidos pela criançada. Na nossa ingenuidade, não percebíamos que estávamos sendo manipulados. Diversão? No mundo real acontecia o genocídio de indígenas. Aplaudir?

Procurei pelo livro no qual Scorsese baseara seu filme, do escritor Shusaku Endo. Tem o mesmo título, *Silên-*

cio. Apesar de ser uma obra ficcional, fundamenta-se em fatos verídicos. Movidos pela fé cristã, missionários chegaram ao Japão no século XVI. A religião se propagou por meio de ensinamentos em seminários e colégios. Em 1579, havia aproximadamente 150 mil japoneses cristãos. Com a mudança política em razão da centralização do poder, a atuação dos padres passou a ser considerada perigosa — uma porta de entrada para a dominação estrangeira. Deu-se um período de fúria e perseguição cruel, até serem finalmente expulsos por "disseminar uma lei pérfida, destruir a verdadeira doutrina e apossar-se do país. Esse é o germe de um grande desastre e precisa ser esmagado", segundo o decreto de expulsão que consta no prefácio do livro. Suspeitos de serem cristãos foram obrigados a pisar nas imagens de Jesus e Maria; caso contrário, eram torturados ou mortos. Em Nagasaki, encontram-se o Museu e o Monumento dos Vinte e Seis Mártires. Em estrutura de bronze, o monumento é uma homenagem aos que morreram crucificados ali.

Naquela manhã, eu me vi diante de um amplo cenário de conexão entre Oriente e Ocidente, envolvendo religiosidade, dominação e violência. Refletindo a respeito disso, atravessei a praça da Sé, cheguei ao Pátio do Colégio. Sentada no café do Museu Anchieta, junto a fragmentos da parede do antigo colégio dos jesuítas, apanhei o bloco e a caneta consagrados na igreja e comecei minhas anotações.

Incrível como as histórias se entrelaçam nesta cidade. Você vai a uma missa, conhece a igreja e o padre, participa de todo o ritual que por lá acontece, se envolve nos acontecimentos da vida do santo e acaba por descortinar um labirinto de memórias. Como percorrer esse trajeto? Era meu desafio.

Aproximadamente na mesma época em que o catequista Gonçalo Garcia chegava ao Japão, outro jovem, José de Anchieta, veio para esta terra, com a mesma missão: catequizar os nativos. Seus destinos, porém, foram bem diferentes. Naquela área onde me encontrava, os jesuítas desenvolveram suas atividades religiosas. Enquanto isso, o domínio português se consolidava por meio do processo de escravidão e extermínio de indígenas.

Um movimento junto ao vidro que encobre a parede do colégio chamou minha atenção. Era um inseto se batendo à procura de escape. Nas nervuras daquela parede, quantos testemunhos aprisionados? São histórias se batendo por visibilidade há séculos. Onde estarão os registros?

Aquela área foi palco de uma tragédia, da qual temos apenas uma versão, a do lado vencedor. Em 1562, aconteceu ali o ataque por índios das tribos guaianás, guarulhos e carijós. Ficou conhecido como O Cerco de Piratininga. Em uma de suas cartas, Anchieta descreveu a luta: "Foi coisa de pasmar que ali se encontravam e se contrapunham às flechadas irmãos a irmãos, primos a primos, sobrinhos a tios, e o que é mais, dois filhos, que eram cristãos e estavam conosco, contra o próprio pai, que estava contra nós".

Os rebeldes foram mortos. Se vencedores, que história contaríamos aqui?

Dizem que a liberdade sempre cava escapes para se formar, naquela época não era diferente. Como impedir seu florescer? No Japão, cristãos perseguidos e mortos. Por aqui, a crueldade se espraiava à moda portuguesa. Uma das condições para que um povoamento recebesse o título de Vila pela Coroa era a instalação de pelourinho, uma coluna de pedra eriçada em praça pública, onde indígenas e depois escravos africanos eram torturados à vista de todos. Ficava próximo, no largo Sete de Setembro. Vislumbrei um triângulo de memórias, a igreja de São Gonçalo, o Pátio do Colégio e, naquele largo, o terceiro vértice.

Um grupo de turistas chegou ao museu, era hora de eu pagar a conta e seguir adiante com meu bloco de anotações até o local do pelourinho. Cadê as estacas? Algum monumento? No largo, procurava por algum sinal da barbárie. Em Nagasaki, há lembranças dos mártires cristãos. Também se encontra por lá o Museu da Bomba Atômica. Acredita-se que tais registros da passagem humana na Terra possibilitem a abertura de espaços para a construção de novos modelos de convivência, nos quais possa haver respeito à diversidade cultural e aos direitos humanos. Expressam convicções: isto não mais acontecerá!

Afinal, onde ficava o pelourinho? Exausta, resolvi perguntar no sebo de livros usados, na praça João Mendes. Nesses lugares, costuma-se encontrar todo tipo de obra. O senhor de óculos com lentes grossas e sobrancelhas espessas me atendeu. Mostrou-me um livro com imagens antigas da região, apontando uma delas, disse:

— Veja, naquele tempo tudo aqui era tão mais bonito!

CONSOLAÇÃO

As crenças, como nascem? E as convicções? São perguntas pouco prováveis para quem vive na agitação da grande metrópole, mas podem acontecer, por exemplo, quando você perpassa determinados arcos monumentais e se depara com um museu a céu aberto: o cemitério da Consolação. Aconteceu comigo outro dia. Fui até lá para atender ao pedido da amiga que está morando no exterior: depositar flores no túmulo de Antoninho da Rocha Marmo, em agradecimento por uma graça recebida.

Dessa forma, acabei conhecendo o cemitério que nem de longe lembra um lugar lúgubre; ao contrário, senti-me acolhida pela arte — mármore, granito e bronze se entrelaçam em caixotes sólidos, adornados por esculturas de artistas famosos, entre os quais: Victor Brecheret, Nicola Rollo, Luigi Brizzolara. Por ali transitam diariamente turistas, devotos, artistas, fotógrafos e, infelizmente, gatunos que insistem em surrupiar obras valiosas. Por incrível que pareça, foi roubada uma estátua de bronze de quase dois metros.

Em cumprimento à missão, com passos lentos e olhar curioso, aproximei-me do túmulo de Antoninho — quase uma criança, falecera em 1930, com apenas doze anos. Havia tantas flores para ele que ficou difícil encontrar espaço para meu vaso de crisântemos amarelos — "representativos da luz da esperança", afirmara a amiga. Enquanto eu observava as placas de agradecimentos ali fixadas, aproximou-se um senhor japonês, com um vaso igual ao meu. Tal coincidência facilitou nossa aproximação; contou-me que era seu santo de devoção e que, graças a ele, havia sido curado de hepatite C. Levava-lhe flores todos os sábados, para agradecer e pedir proteção. Antoninho não é reconhecido pela Igreja como santo, embora minha amiga, aquele senhor e tantas outras pessoas assim o considerem e depositem ali o testemunho de seus milagres. A permanência naquele lugar inspirou reflexões a respeito de nossa finitude: como compreender a vida mortal? A estátua que eu tinha à minha frente dava esperança aos que, por temor à morte, buscam de alguma maneira a sobrevida. Com o dedo indicador erguido, parecia transmitir a cada visitante uma mensagem particular. Havia entre seus dedos restos de uma camélia. De seu semblante sereno, o olhar acolhedor refletia uma centelha enigmática; senti um estranho arrepio. É só uma representação, pensei. Será?

Reparei que próximo ao túmulo de Antoninho há outro, também com inúmeras placas de agradecimentos pelas graças recebidas e vasos com diversas flores naturais — é de Maria Judith de Barros. Sem nenhuma foto, ou imagem, a única identificação é a data de seu falecimento: 1938. O que se conhece de sua história é que era agredida constantemente pelo marido e que teria sido vítima de um golpe fatal. Tornou-se, por algum motivo, protetora de vestibulandos, que muitas vezes chegam por lá em bando para pedir sua proteção, principalmente os que pretendem ingressar em Medicina ou Odontologia — algumas placas fixadas no túmulo atestam o êxito do pedido.

Visitar cemitérios talvez não seja um programa dos mais atraentes para um sábado ensolarado. O fato é que, ao atender a amiga, acabei me deparando com um cenário instigante; senti-me compelida a agendar uma visita monitorada.

Na data programada, reuni-me ao grupo que tinha como guia Francivaldo Gomes, mais conhecido por Popó. Com memória prodigiosa, fazia relatos diante de cada uma das sepulturas. No túmulo da marquesa de Santos há uma placa dizendo que ela doou as terras do cemitério. Ele esclareceu:

— Não é bem assim. Ela doou ao cemitério a quantia de dois contos de réis para a construção da primeira capela.

Um turista alagoano do grupo lembrou que, na terra dele, diz-se que, naquela época, um conto de réis equivalia a 650 vacas; uma fortuna, certamente. Observando que há neste túmulo alguns agradecimentos, uma jovem de vestido florido perguntou se ela também fazia milagres. O guia contou que já ouviu moça diante da sepultura pedir:

— Marquesa, minha santa, me ajude a encontrar o amor de minha vida.

Notei na expressão da jovem sinais de quem se depara com algo muito precioso, mas precisava de confirmação:

— É sério mesmo?

Em frente ao túmulo dela está enterrado o sanfoneiro Mário Zan, sempre lembrado nas festas juninas por sua música "Festa na roça". Conta-se que procurou a administração do cemitério para comprar um túmulo, a única exigência era que estivesse próximo ao da marquesa. Sua motivação é uma incógnita, mas não faltam suposições, mesmo porque é sua família que cuida do túmulo dela até os dias de hoje. Seguindo mais adiante, Popó perguntou ao grupo:

— Quem se lembra de uma rua da cidade com nome de pessoa?

Trabalhei por muito tempo na região central, então, respondi prontamente:

— Líbero Badaró.

Agradecido, nos conduziu até sua sepultura e nos convidou a ouvir sua história. Conta-se que, certa noite, na saída da redação de seu jornal, um homem perguntou:

— O senhor é Líbero Badaró?

Ao confirmar, outra pessoa saiu das sombras e atirou nele com uma arma de fogo. Antes de morrer, teria declarado:

— Morre um liberal, mas não morre a liberdade!

É considerado o primeiro mártir da história de nossa imprensa. Em 1829, fundou o jornal *Observador Constitucional*. Utilizava suas páginas para denunciar desmandos das autoridades e reafirmar suas convicções: "E se não é a liberdade de imprensa, que faça chegar aos ouvidos dos imperantes os gemidos dos oprimidos, qual será o outro meio?". Mesmo sabendo que corria o risco de ser morto, continuava na luta contra o autoritarismo e a censura. A morte de Badaró revoltou a população da cidade; os protestos irradiaram-se pelo país.

Enquanto o grupo continuava o roteiro da visita, permaneci junto dele, refletindo a respeito de sua vida, curta e tão significativa. Reparei que ali não havia nenhuma placa de agradecimento, sequer flores. Ah, nossa memória histórica! Na tentativa de reparar essa falha, mesmo sem ter o dom da arte, comecei a imaginar junto ao seu túmulo uma obra representativa de seu legado. A primeira escolha foi o material, decidi por mármore — denso, impenetrável, pequenas nervuras, vindo das entranhas da terra, consolidado pelas altas temperaturas vulcânicas. Seria de cor branca, despontando como um farol em tempos sombrios. Na rocha bruta, seus ideais foram dando os contornos à escultura — portal civilizatório, contra a barbárie.

Desde o tempo em que ele escrevia no *Observador Constitucional*, a história compôs novas trajetórias: fim do

Império, advento da República, dois períodos ditatoriais, até chegarmos ao atual estado democrático de direito. Entretanto, até hoje jornalistas são assassinados no exercício da função. Há censura velada e explícita nos meios de comunicação. Informações são manipuladas. A verdade, onde estará?

O portal de Badaró está aberto — quem adentra? Como continuar sua obra?

Preocupado com minha ausência no grupo, Popó se aproxima de mim e pergunta:

— Ficou alguma dúvida?

O QUE NÃO DISSE

Nas fendas da armadura de concreto desta cidade, que revejo todas as manhãs, estão abrigadas as não palavras — sons retidos, imagens caladas que se juntam no palco urbano, à espreita da revelação. Artistas e poetas costumam percorrer desvãos desta natureza, capturando inquietudes, compondo-as em novos cenários.

Naquela manhã, havia lido uma matéria na imprensa a respeito do novo livro de poesia de Bertolt Brecht. Falecido na década de 1950, foi dramaturgo, romancista, poeta; suas obras influenciaram gerações. No livro, um poema simples, conciso — *Aqueles dois*, mostra a dificuldade de um casal em expressar seus sentimentos. Embora "cheios de doçura a dizer", quando juntos falavam do tempo, de outras coisas, nunca diziam o que sentiam. Escrito no século passado, em outra conjuntura, outro país, podemos reconhecer ainda hoje essa dificuldade de comunicação emocional.

O poema ainda reverberava em mim quando me deparei, na avenida Paulista, com um grupo de jovens tatuados, ou, para ser mais precisa, deparei-me com suas tatuagens, que pareciam desprender-se do corpo para se tornarem quadros autônomos. Senti que em tal simbolismo havia uma expressão da qual tentei me aproximar por meio de um diálogo interiorizado que pudesse sinalizar sentimentos ali introjetados. Não demorou para sentir a mesma dificuldade do casal de Brecht. Era mais fácil ser cooptada pela qualidade do desenho, a qual poderia descrever por longo tempo, que por sua evocação.

Tatuagem existe desde os primórdios — por aqui, há décadas com certeza. Curioso é só agora passar a ser objeto de minha atenção. Se você já caiu em algum buraco na calçada da cidade, entenderá o que sinto. Depois da primeira queda, nunca mais haverá horizonte para você, só o descaso das autoridades. Entre vitrines, bares, restaurantes, camelôs, livrarias, enfim, em meio a tanto apelo ao consumo naquela área, o foco de minha atenção estava nas tatuagens — por ser sábado? Vinicius de Moraes lista em seu poema "Dia da criação" inúmeras possibilidades de acontecimentos nesse dia da semana; entre elas a de que "todas as mulheres estão atentas, porque hoje é sábado". Em meio a tantas possibilidades, aconteceu a revelação das tatuagens. Para qualquer lado que olhasse, lá estavam: na moça do café, na mãe com o bebê no colo, na senhora de saia longa, no rapaz de bermuda, no casal posando para fotos na mureta, no senhor da cadeira ao lado. Não demorou muito para reconhecer este estranho ser que habita em mim, repleto de cicatrizes e anseios, mas nada exposto. Se resolvesse traduzi-los em imagens no corpo, que formas teriam?

Na livraria, percebi que o vendedor tinha uma figura no braço, mas dava para ver apenas a parte de baixo. Senti vontade de pedir a ele: poderia levantar a manga da camiseta para eu ver o que está desenhado? Segui meu impulso de completar o desenho com minha imaginação, assim me vi traçando uma imagem tribal, a partir dos dois garranchos do braço do rapaz; coisa que a ancestralidade talvez explique.

Passado o impacto inicial da constatação, a fase seguinte foi a de observar as imagens em seus detalhes, quando possível. Alguns desenhos me impressionaram muito. Descobri que há na cidade inúmeros estúdios, alguns bem sofisticados, que fazem esse trabalho com profissionalismo, a um preço até que razoável. Tento imaginar alguém chegando em um desses estúdios para escolher a marca no corpo que será quase definitiva. Qual? Onde?

Enquanto tomava café, aproximou-se do balcão um rapaz com a figura de um lobo da perna — por que o lobo e não um beija-flor? Poderia ser um labirinto emocional — como decifrá-lo? O que posso dizer é que o lobo me perturbou, causando-me certa sensação de medo, talvez por seu aspecto feroz e ameaçador. O som de uma buzina e uma freada brusca logo me fizeram reconhecer que, no espaço em que me encontrava, os perigos eram de outra ordem.

Naquela tarde, encontrei-me com uma amiga que não via há muito tempo; tinha uma tatuagem de borboleta no ombro. Aproveitei para indagar-lhe o que havia motivado o desenho. Após ficar um tempo pensativa, disse que havia passado por um processo difícil de separação e que sentiu vontade de sair do casulo, da zona de conforto, e lançar-se ao mundo. Ela disse ainda que permanecera no casamento destroçado por muito tempo e que a borboleta seria um impulso de libertação.

— Conseguiu? — perguntei.

Com a expressão de certo desconsolo, ela pareceu divagar:

— Sinceramente, percebi que as amarras agora são outras; estão entranhadas em mim, não consigo alçar voo.

Lembrei-me de outro poema do livro de Brecht — *Ulm 1592* —, em que o bispo afirma: "Voar é para os pássaros, nunca que o homem voará".

Então, disse-lhe:

— Está frio. Que tal um chá?

A VALA

E lá estava Antígona a cavar com as próprias mãos a terra; na fenda, o abrigo para o corpo do irmão. Desafiava a ordem real: morto, Polinice deveria ficar exposto para servir de banquete aos abutres. Não! A alma tinha direito ao descanso e não a permanecer vagando pelas margens do rio dos Mortos. Ousou desafiar o poder, foi punida, morreu arrastando atrás de si outros eventos trágicos.

Décadas atrás, estava o professor Pinheiro, em frente ao mapa-múndi, a orientar-nos, jovens, sobre os dramas e dilemas da vida. Ensinava por meio da peça de Sófocles, da Grécia Antiga, a relevância do sepultamento, considerado ato de memória e direito fundamental.

A cidade de São Paulo está distante dos mares Egeu e Jônico, sem Acrópole, nem Parthenon; distante no espaço e no tempo. Sófocles escrevia em outra era. No entanto, há por aqui uma tragédia que precisa ser contada. Diferentemente do que acontece em obras literárias, esta parece não ter fim, só interrogações. Inspirada na tradição cênica dos antigos gregos, evoco para o palco da história no cemitério de Perus, a figura de Corifeu; a ele caberá a narrativa, na qual as cenas se entrelaçam pelo significado.

Repito, eu já estava aqui. Antes mesmo de colocarem o monumento, este era meu lugar. Convém explicar, o meu campo de visão é ilimitado, alcança ângulos imperceptíveis, não encontra barreiras nem limites. Do que sou testemunha? É isso que pedem agora? Jamais recusei pedido algum, desde que seja sincero o propósito.

Chega o homem enlutado ao cemitério; está à procura do irmão desaparecido. Encontra-se em frente a um buraco. Logo ali, aparecem sacos com ossadas. O administrador retira de um deles um fêmur e pergunta:

— Seu irmão era alto?

Retira de outro saco um crânio, indaga:

— Seu irmão usava dentadura?

No longo período de busca e tentativa de identificação, inclui-se outra cena: um esqueleto montado em uma mesa. E novamente alguém pergunta:

— Você acha que se parece com seu irmão?

Era a saga da família de Flávio Carvalho Molina, morto sob tortura em novembro de 1971. A identificação só ocorreu em 2005. Está sepultado no cemitério São João Batista, no Rio de Janeiro.

Agora, atentos: fatos ocultos estão à espreita, anseiam o momento da revelação, e, acontecem — querem ver?

No Instituto Médico Legal, o jornalista examina laudos médicos, observa em alguns a mesma inscrição em vermelho e indaga ao funcionário:

— Qual o significado desta letra nos documentos?

— É "T", de terrorista.

Em busca de elementos para a matéria sobre violência policial, Caco Barcellos acaba por encontrar pistas que levariam à descoberta do ossário clandestino. Corpos dos laudos com "T" seguiam sempre o mesmo destino: Perus.

Repito mais uma vez, porque as coisas mais simples do mundo parecem difíceis de serem compreendidas: tudo neste mundo está interligado.

Nesta cidade, império de tantos feitos, o capital se desdobra em inúmeras realizações. Durante o regime militar, empresários se organizaram para financiar a repressão aos que se opunham à ditadura. De forma clandestina, pessoas eram mortas; corpos desapareciam. De Parelheiros a Perus, nuvens com manchas torturadas cruzavam a cidade. Em uma ponta, o destino final de mortos — o cemitério Dom Bosco, em Perus — e, na trajetória sombria, os locais de tortura e morte — Dops, DOI-Codi, Sítio 31 de Março.

Antes da próxima cena — a abertura da vala —, faz-se necessário um minuto de silêncio.

A pá cava a terra, o suor escorre pelo rosto do trabalhador. Olhares atentos observam cada gesto. Respiração suspensa. Coração acelerado. No buraco, entre ossos dispersos, surgem mil e quarenta e nove sacos plásticos amontoados; dentro deles, ossadas — de quem? Nenhuma identificação dos corpos jogados da mesma forma que se costuma lançar detritos no lixo — por quem? Tal buraco possuía trinta e dois metros de comprimento por dois metros e setenta centímetros de profundidade.

> *O cenário é composto por uma teia de terror e mistério a ser decifrada.*

No saco aberto, o perito aponta para a ossada:
— Tudo fica registrado nos ossos: idade, raça, sexo. Pela análise, é possível a identificação das vítimas.

Ao ouvir tal explicação, escorre pelo rosto da mãe o luto suspenso — lágrimas retidas pela longa espera do filho desaparecido. A dor, em vigília constante, projeta a presença do amado em sinais vários — no assobio, na canção, no rabisco do caderno escolar, no vento que bate nas vidraças —, e trazem a pergunta: até quando?

> *No palco da história, há segredos guardados a sete chaves. Só o molde democrático é capaz de trazê-los à luz. No caso das ossadas, em meio a tanta perplexidade, entram em cena elementos fundamentais: determinação e coragem.*

Na época da descoberta da vala clandestina, em 1990, a cidade era governada por uma mulher, Luiza Erundina.

Uniram-se a ela várias Marias e Clarisses. Com entidades de defesa de direitos humanos, seguiram pela senda da verdade e da justiça. Criou-se uma comissão de investigação e as ossadas seguiram para análise na Unicamp; depois foram guardadas no cemitério do Araçá, e desde 2014 estão na Unifesp, para análise em um centro especializado em antropologia e arqueologia. Das mil e quarenta e nove ossadas, constatou-se que uma parte era de desaparecidos políticos — apenas cinco foram identificados no período de trinta anos.

Com a abrangência de minha visão, posso identificar causas e circunstâncias; sei de negligência, descaso, desrespeito.

Tudo se fazia urgente — apurar crimes e responsabilidades, ouvir vítimas da repressão, familiares de desaparecidos. Foi instalada a Comissão Parlamentar de Inquérito na Câmara Municipal, dias após a descoberta da vala.

No plenário da Câmara, acontece o pulsar das revelações:

— Senhora Maria Amélia Teles, a senhora conhece este homem?

— Claro que conheço. Este é Davi dos Santos Araújo, que usava o codinome de capitão Lisboa quando me torturou.

— Mentira! Nunca torturei mulher feia.

— Então o senhor admite que torturava mulher bonita?

— Não vou responder isso!

O que passou, passou — é assim que você pensa? Pois está enganado, tenho de dizer isso às claras, em alto e bom som — você aí do fundo me escuta? A história ignorada se repete. Em incontáveis repetições, traços sinistros aguardam oportunidades de se projetarem contra a humanidade, entende?

Os crimes contra a liberdade serão sempre descobertos, este é o alerta anunciado no monumento exposto no lugar da antiga vala, em 1993. No formato que lembra a mão da justiça, o grande muro se destaca no sítio de memória, onde a ditadura tentou ocultar suas vítimas.

Juventude de agora, qual a pauta? Convido todos a me acompanharem para o lado de fora do cemitério.

Jovens se organizam para fazer uma intervenção artística; de alguma forma querem contar a história da ditadura e do bairro.

— Todo artista tem de se posicionar — diz o rapaz de cabelos encaracolados.

Decidem por grafitagem do lado externo do muro do cemitério, no qual árvores esparsas projetam sombras, compondo os trabalhos — cores e formas variadas na busca pela expressão dos sentimentos de outra época, 2015. A jovem artista se aproxima do lugar da antiga vala, contempla em silêncio o monumento. Ao vislumbrar as amarras da verdade histórica, inspira-se para seu grafite no muro — dos traços inquietos do rosto feminino, prolonga-se a vasta cabeleira suspensa pelo sopro do novo tempo. Escreve embaixo: "Liberte-se".

> Aqui os ditadores tentaram esconder os desaparecidos políticos, as vítimas da fome, da violência do Estado policial, dos esquadrões da morte e sobretudo os direitos dos cidadãos pobres da cidade de São Paulo. Fica registrado que os crimes contra a liberdade serão sempre descobertos.
>
> Luiza Erundina de Sousa
> e Comissão de Familiares de Presos Políticos Desaparecidos

AGRADECIMENTOS

A Adília Belotti, Augusto César de Macedo Neto, Célia Alves, Luiz Sampaio, Paulo Akira, Rendrik F. Franco, Soreh Meyer, Sylvia Loeb, Valéria Midena, que acenderam luzes da cidade em mim.

A Áurea Rampazzo, pela indicação de setas do caminho da escrita.

E a Lia Diskin, sempre.

SOBRE A AUTORA

Paulistana, Lourdes Gutierres graduou-se em Economia pela USP, em 1973. Na busca pela compreensão da realidade, dedica-se a estudos complementares em diversas áreas do saber. A formação holística foi realizada na Unipaz. Conhecimentos filosóficos e de práticas meditativas vieram do Centro de Estudos Filosóficos da Palas Athena. A conexão com o Oriente a levou ao curso de Yoga na FMU. Do prazer pela leitura surgiu o interesse pela escrita. Frequentou oficinas de criação literária do Museu Lasar Segall e da Fundação Ema Gordon Klabin. Resultado de reflexões sobre histórias da vida real, *À sombra da cidade* é seu primeiro livro de crônicas.